EUSÈBE-HENRI MÉNARD

Paul Longpré

EUSÈBE-HENRI MÉNARD
Un vrai fils de François

FIDES

Cet ouvrage a été publié grâce à une subvention
de la Fondation Père-Eusèbe-Ménard.

En quatrième de couverture :
Comme une hostie, le père Eusèbe offre un enfant péruvien
au Dieu de miséricorde. Cette photo résume toute la vie
du fondateur de l'Œuvre des Saints-Apôtres.
Deux axes passionnels : le sacerdoce et les pauvres.

Données de catalogage avant publication (Canada)

Longpré, Paul

Eusèbe-Henri Ménard : un vrai fils de François

ISBN 2-7621-2274-0

1. Ménard, Eusèbe-M. (Eusèbe-Marie), 1916-   .
2. Société des Missionnaires des Saints-Apôtres - Histoire - Biographies.
3. Missionnaires des Saints-Apôtres - Histoire - Québec (Province) - Biographies.
4. Franciscains - Québec (Province) - Biographies.
I. Titre.

BX4705.M4847L66 2000   271'.79   C00-941235-2

Dépôt légal : 4ᵉ trimestre 2000
Bibliothèque nationale du Québec
© Éditions Fides, 2000.

Les Éditions Fides remercient le ministère du Patrimoine canadien du soutien qui leur
est accordé dans le cadre du Programme d'aide au développement de l'industrie de
l'édition. Les Éditions Fides remercient également le Conseil des Arts du Canada
et la Société de développement des entreprises culturelles du Québec (SODEC).

IMPRIMÉ AU CANADA

Présentation

Au cours d'une vie, il arrive à chacun d'entre nous de croiser une personne qui marque davantage que d'autres le cours de notre existence. Ainsi, Pierre, Jean, André et Paul ont été touchés de plein fouet par le «Viens et suis-moi» de Jésus. Leur vie en a été bouleversée.

Le père Eusèbe-Henri Ménard n'a laissé personne indifférent, suscitant pour les uns, de l'admiration, de l'étonnement pour d'autres, du questionnement, de l'engagement. Il laissait des traces sur son passage. Dieu sait combien de personnes ont accueilli une parole d'espérance, de réconfort ou d'accueil sans condition. Certains furent hébergés, nourris, instruits. D'autres furent pacifiés, interpellés, transformés!

Vraiment, le père Eusèbe-Henri Ménard peut être considéré comme un homme de Dieu — avec ses forces et ses faiblesses —, un ami des prêtres, des pauvres et des petits. À la suite du Christ ressuscité, il a donné toute sa vie pour l'Église qu'il aimait de tout son cœur, sans artifice, malgré les revers de la vie, les coups reçus, les croix portées.

Contre vents et marées, le père Eusèbe-Henri Ménard a semé la Bonne Nouvelle de l'amour et de la tendresse de Dieu, particulièrement au moyen de l'Œuvre des Saints-Apôtres. Il a cherché à humaniser et à évangéliser avec les ouvriers de la vigne venus se joindre à lui à toute heure du jour. Il a permis à l'Église d'accueillir de nombreux nouveaux prêtres tout en donnant aussi une grande place aux laïcs.

Au nom de tous les membres de la famille des Missionnaires des Saints-Apôtres, je remercie M. Paul Longpré de faire ressortir cette personnalité attachante du père Eusèbe-Henri Ménard, son charisme de fondateur et son amour inconditionnel de Jésus. Un vrai fils de François d'Assise !

Montréal, 15 août 2000
Yvon Archambault, M.Ss.A.
Animateur général

Introduction

C ETTE MONOGRAPHIE a été réalisée à partir de documents d'archives et d'entrevues avec plusieurs témoins qui l'ont connu à différentes époques de sa vie ou qui ont collaboré étroitement avec lui à divers titres. Je remercie donc ces personnes qui m'ont permis de découvrir et de faire connaître le père Eusèbe, cet apôtre au cœur d'or et au verbe de feu.

Je remercie chaleureusement la Société des missionnaires des Saints-Apôtres, la Fondation Père-Eusèbe-Ménard et les Éditions Fides qui m'ont fait confiance pour mener à bien ce projet. Sans doute s'écrira-t-il des ouvrages plus fouillés et plus volumineux sur celui que ses disciples appellent affectueusement «le Père». On n'a certes pas fini d'entendre parler de ce «saint délinquant» et de son œuvre répandue dans sept pays. Je serai toujours reconnaissant d'avoir pu y contribuer modestement.

Je remercie aussi mon épouse et collaboratrice, Lise, de même que ma belle-sœur Françoise Lamarche pour leur précieux travail de révision de fond et de forme.

P. L.

Seigneur, avec instance et comptant sur votre puissance, je vous demande la grande faveur de passer ma vie, avant ma mort et après ma mort, à susciter de nombreuses et vraies vocations sacerdotales et à soutenir mes confrères prêtres.

Les prêtres, vos prêtres, comme je les ai aimés! Comme je les aime! Je veux continuer à les aimer, si possible, comme jamais ils n'ont été aimés. Je veux les aimer avec le cœur même de Jésus. Je suis convaincu que je les servirai plus après ma mort que je ne l'ai fait pendant ma vie sur la terre.

Puissent-ils vivre leur sacerdoce en union avec celui de leurs frères baptisés, confiant à ceux-ci beaucoup de responsabilités, afin qu'eux-mêmes ils puissent se dédier davantage à la prière et à la prédication.

Extrait de *Mon testament*, 25 mars 1975

I

Tout le portrait de sa mère!

PROPHÈTE AU VERBE DE FEU, fondateur audacieux de l'Œuvre des Saints-Apôtres, le père Eusèbe Ménard, fils spirituel de François d'Assise, était un personnage éblouissant et souvent dérangeant : une sorte de « saint délinquant ».

Des milliers de Québécois ont émigré vers la Nouvelle-Angleterre au début du XXe siècle. Le cas de Marie-Anna Labbé, la mère du père Eusèbe, est cependant particulier. Bien déterminée à ne pas « vivre sur une terre de roches », comme ses parents l'avaient fait, elle a quitté la Beauce en 1900, à l'âge de 17 ans, pour aller travailler dans une filature d'Auburn, dans le Maine. On disait, à la française, *factories* (manufactures), prononcé *factries*. Elle y est allée toute seule ! Il faut dire qu'elle allait être hébergée par un oncle déjà installé « aux États ». Mais tout de même, il fallait du cran... Il fallait aussi beaucoup de largeur d'esprit chez ses parents, en ces temps où on tenait les filles en laisse jusqu'au lit conjugal.

Dans cette petite ville de la Nouvelle-Angleterre, Marie-Anna fera la rencontre d'un homme silencieux au regard bon, Charles Ménard, Beauceron comme elle, cordonnier de son métier, exilé depuis l'âge de 15 ans dans une usine de chaussures. Très timide, Charles était peintre du dimanche et fréquentait la galerie d'art d'Auburn. C'est à cet endroit que Marie-Anna l'a connu. Ils se sont mariés en 1904. Lui avait 32 ans et elle, 21. Il va sans dire qu'ils eurent de nombreux enfants, comme on dit dans les contes : revanche des berceaux oblige ! Onze enfants en dix-huit ans. Neuf garçons, puis deux filles. Le premier est né en 1906. Le sixième, Henri, est né dix ans plus tard. Chez les franciscains, il recevra le nom d'Eusèbe, disciple d'Origène et évêque de Césarée au IVe siècle.

Les conditions de travail des Canadiens français et des Irlandais, prolétaires de la révolution industrielle de l'Est américain, étaient inqualifiables. La poussière de l'usine a eu raison des poumons de Charlie en moins de 20 ans. Charlie, c'est ainsi que l'appelle affectueusement Marie-Anna. Il doit rentrer au pays en 1908. Les médecins lui recommandent le grand air. Le couple s'installe sur une ferme de Saint-Jules-de-Beauce, suivant en cela les conseils des parents de Charles, mais on n'arrive pas à nourrir la marmaille.

Marie-Anna s'était bien juré de ne jamais s'esquinter sur une terre de roches ! Elle n'a qu'une 4e année de scolarité dans une école de rang, mais elle a la bosse des affaires. C'est elle qui prend les décisions importantes concernant le patrimoine familial. Son Charlie a un métier : monteur de chaussures et cordonnier. Eh bien ! il va vivre de son métier. Parmi les gros villages de la Beauce, East-Broughton Station n'a pas de cordonnerie : c'est là que la famille refera sa vie.

Un homme bon

Le couple, qui a déjà deux enfants, achète une petite maison dans la grand-rue conduisant à l'usine de la Quebec Asbestos, tout près des monticules de déchets d'amiante. Pas très bon pour les poumons de Charlie... Mais c'est quand même beaucoup mieux que l'air de l'usine. Très habile dans divers métiers, Charlie préfère travailler seul plutôt qu'en équipe. La cordonnerie lui convient très bien.

Il ne tarde pas à se faire une clientèle. C'est un homme humble. Il sait écouter. Ne serait-ce que parce qu'il a toujours un clou entre les lèvres! On se confie à lui volontiers. Sa boutique est donc achalandée, mais il travaille pour presque rien. Quand les gens sont pauvres, et il y a bien des pauvres dans le Québec profond du début du siècle, il travaille tout à fait pour rien... La cadette de la famille se souvient qu'il travaillait du matin jusqu'au soir, puis lisait son journal en écoutant la soprano Lily Pons, à la radio.

Quand la crise économique a frappé, au début des années 1930, la misère est devenue encore plus flagrante. Avec d'autres villageois, les Ménard ont organisé des collectes de vêtements et de nourriture. La distribution se faisait au magasin de chaussures. À cette époque, Henri était pensionnaire au collège. Nul doute qu'il aurait aimé participer à ces collectes. Tout jeune, quand on l'envoyait faire des courses à l'épicerie du quartier, il revenait souvent les mains vides :

— J'ai rencontré un quêteux et je lui ai donné les sous : il en avait tellement besoin, maman !

La bonne Marie-Anna ne le grondait pas, mais elle a vite compris que son budget s'en porterait mieux si elle confiait les courses à un autre de ses rejetons. Ce souci des pauvres ne le quittera jamais.

Dans ses années de collégien, au cours des vacances d'été, il visitait régulièrement des familles pauvres et leur apportait des victuailles, se souvient son jeune frère Benoît. Dans les années 1960, il s'était rendu à New York pour obtenir du cardinal Spellman la permission de fonder un séminaire dans son diocèse. Non seulement la chose lui a-t-elle été refusée, mais le cardinal le lui a fait savoir par un subalterne, sans même le recevoir. Il en avait profité pour aller visiter les sans-abri new-yorkais… Missionnaire au Pérou, il allait régulièrement chez les lépreux de l'hôpital Guia. Il a tenté de mettre sur pied un foyer pour lépreux, mais le projet ne s'est pas réalisé. En Colombie, il allait visiter les itinérants qui couchaient dans les halls d'entrée des édifices… Vers la fin de sa vie, il allait en visite chez un ami beauceron, M. Irénée Bergeron, retraité en Floride. Il lui arrivait de disparaître pendant une longue semaine et de revenir dans un état de malpropreté indescriptible. Il était allé partager la vie de ses frères clochards…

Revenons à East-Broughton. Derrière la maison, Charlie entretient un grand potager. Il y a planté des arbres fruitiers qui donnent de bonnes récoltes malgré la poussière d'amiante. Avec l'aide d'un employé, il exploite aussi une fermette dans le 6e rang: deux vaches, un cheval, un cochon qu'on tuait pour les Fêtes. Les produits de la ferme assurent à peu près l'autonomie alimentaire de la famille. Malgré tout, les Ménard arrivent difficilement à joindre les deux bouts. Marie-Anna prend les grands moyens. Elle embauche une aide domestique et décide d'ouvrir un magasin de chaussures et de vêtements de travail. Aussi loquace que son mari peut être silencieux, elle fera de bonnes affaires. Deux de ses fils travailleront comme acheteurs auprès des grossistes en chaussures. Très bientôt, il faudra agrandir la cordonnerie et le magasin. On construira donc un étage pour loger la famille qui continue de s'accroître... Cinq nouvelles chambres et une salle de bain dotée d'une baignoire. Une baignoire : toute une curiosité pour les villageois ! On ne nagera jamais dans l'argent, mais Marie-Anna trouvera tout de même les moyens d'acheter des maisons pour établir trois de ses enfants à East-Broughton. C'est elle qui déniche les aubaines et fait toutes les démarches. Charlie, plus peureux, s'inquiète :

— Es-tu sûre de faire une bonne affaire, là ?

Marie-Anna répond, rassurante :

— Fie-toi à moi, mon Charlie. Laisse-moi faire !...

De fait, Marie-Anna se débrouille très bien. Les enfants ont tous un minimum d'instruction. L'un est dans l'enseignement et les autres dans les affaires où ils ont du succès. Il faut dire que les années d'après-guerre ont été des années fastes pour l'économie...

La prophétie du grand-père

Femme de devoir, tenace et courageuse, Marie-Anna Ménard est aussi très pieuse. Sa spiritualité se manifeste par une très grande confiance en la Providence. Elle va à la messe tous les matins à la chapelle des Sœurs de Notre-

Dame du Perpétuel Secours dont le couvent est près de la cordonnerie. Sa plus jeune fille, prénommée elle aussi Marie-Anna, l'accompagne, sauf les jours où il y a trop de neige. « C'est de maman que nous avons appris à aimer l'Eucharistie », confie-t-elle. Quand la guerre s'est déclarée, Benoît, le cadet des garçons, âgé de 18 ans, s'est porté volontaire dans l'armée américaine. La mère a alors promis d'aller à la messe tous les jours de sa vie si son fils revenait du front sain et sauf. Elle a tenu parole aussi longtemps que sa santé le lui a permis.

Cette femme de tête était aussi capable de compassion. Quand le grand-père Ménard s'est trouvé « en perte d'autonomie », comme on dit aujourd'hui dans le jargon des travailleurs sociaux, un conseil de famille a songé à le « placer ». Malgré ses onze enfants et le commerce, Marie-Anna a décidé de l'héberger. « Pas question de placer ton père dans un hospice. Nous allons le prendre avec nous », a-t-elle tranché. Le grand-père est resté 14 ans avec eux. Il trouvait le moyen de rendre de petits services. Les six derniers mois de sa vie, il était tout à fait sénile et dépendant. Marie-Anna en a pris soin comme d'un bébé… Quand le couple a décidé de l'héberger, le grand-père avait prédit : « Marie-Anna, parce que tu me gardes, le Bon Dieu va te récompenser. Il va te donner un fils prêtre… »

Ce fils prêtre, prophétisé par le grand-père Ménard, ce sera Henri. La plupart des familles québécoises nombreuses de cette époque comptaient un prêtre, un religieux ou une religieuse. Plusieurs de ces « vocations » avaient un caractère sociologique. On quittait la misère pour accéder à une classe supérieure, dans une société de chrétienté. On fuyait la ferme et on avait accès aux études supérieures, assuré du gîte et du couvert. Fille aînée, on se dégageait de la responsabilité de maman suppléante dans une famille nombreuse. Parfois, on obéissait inconsciemment à un conditionnement qui pouvait aller jusqu'au chantage affectif: «Maman serait bien fière de toi si tu faisais un prêtre!...» Ou on était particulièrement sensible à des pressions cléricales: «Mon enfant, prenez garde de rater votre vie en restant sourd à l'appel du Bon Dieu...» Dans les années 1960, ces prêtres, malheureux comme des pierres parce qu'ils avaient répondu à un faux appel, ont provoqué dans l'Église du Québec une formidable débâcle.

Henri n'a pas subi de pressions de ce genre. Dès l'âge de 10 ans, le sixième fils Ménard était missionnaire dans l'âme, selon le témoignage écrit en 1987 par son institutrice de troisième année, Mlle Bernadette Larochelle, à l'occasion du 40e anniversaire de l'Œuvre des Saints-Apôtres.

Dans l'école d'East-Broughton Station, dirigée par les sœurs, Mlle Larochelle avait hérité de la classe de troisième «forte». C'était l'année de la communion solennelle. Elle avait 44 élèves qui, en fait, suivaient le programme de la quatrième année. Doué d'une mémoire phénoménale, Henri Ménard était du nombre des quelque six «As» qui se disputaient les premiers rangs dans toutes les matières. «Au tableau d'honneur, note l'institutrice, les étoiles s'ajoutaient aux étoiles et Monsieur le curé Poulin ne manquait pas de le souligner quand il venait donner les bulletins, ce à quoi il tenait beaucoup!»

L'esprit missionnaire

Dans cette classe, l'émulation grandissait sans cesse grâce au travail missionnaire, explique la vieille institutrice. En ces années-là, l'œuvre de la Sainte-Enfance, répandue dans toutes les écoles catholiques, était axée sur l'évangélisation de la Chine. Chaque don de 25 cents représentait l'accès au baptême pour un bébé chinois. On disait, de façon bien gauche, qu'on «achetait» des petits Chinois! Les enfants étaient invités à donner ainsi une part de leur argent de poche. Les résultats étaient affichés au tableau, ce qui était plutôt gênant pour les enfants de familles pauvres qui, eux, n'avaient pas d'argent de poche. Pour leur éviter la honte, leurs parents étaient souvent forcés de rogner sur les besoins essentiels de leurs petits Québécois afin d'acheter des petits Chinois! Mais enfin, ce n'était pas l'objectif que poursuivait cette bonne Mlle Larochelle...

Henri était privilégié, explique-t-elle. Comme il faisait partie d'une nombreuse famille de garçons, les deux filles étant encore des bébés, la mère distribuait les tâches ménagères entre ses gars qui sont ainsi devenus des «hommes roses» avant la lettre. Elle récompensait leurs services par quelques sous gagnés au magasin de chaussures.

C'est dans ce pécule que puisait généreusement le petit Henri pour donner aux missions. Chaque matin, il chuchotait à l'oreille de l'institutrice: «J'ai lavé la vaisselle.» Ou encore: «J'ai fait les lits avant de partir pour l'école et j'ai gagné cinq sous pour les missions!» Même à cet âge tendre, se souvient Mlle Larochelle, Henri avait le souci de l'humilité : « Que ta main gauche ignore ce que donne ta main droite... »

Un pacte avec la petite Thérèse

La communion solennelle, qu'on nomme aujourd'hui « profession de foi », incitait autrefois les enfants à assumer en quelque sorte la foi de leur héritage, à l'aube de l'adolescence. Au printemps, elle était précédée d'une catéchèse qui s'étendait sur un certain nombre de jours et se donnait par le curé ou son vicaire, à l'église paroissiale. On appelait cela « marcher au catéchisme ». Quand est arrivé le mois de mai et le catéchisme, raconte Mlle Larochelle, Henri devait faire deux milles par jour pour se rendre à l'église et en revenir. Il n'avait plus le temps d'aider sa mère, sinon en fin de semaine. Il avait donc trouvé une façon ingénieuse d'amasser des fonds pour ses petits Chinois. Le midi, le lunch avalé en vitesse, il jouait aux billes avec ses copains. En Beauce, on disait « boleys ». Il revendait les billes gagnées et chaque soir, en revenant du catéchisme, il arrêtait à l'école pour remettre à Mlle Larochelle les gains de la journée. « J'ai fait une entente avec la petite Thérèse, lui confiait-il. Elle me fait gagner et moi, je lui donne mes sous pour la Sainte-Enfance ! » Cette année-là, la troisième année forte a envoyé 55 $ à la Sainte-Enfance. À lui seul, Henri a versé 5,55 $. En 1927, c'était une somme considérable !

Le petit Henri ne passait pas par l'école seulement pour verser ses gains du jour. Il venait échanger avec son institutrice, qui était aussi sa catéchète et sa confidente, sur l'enseignement donné ce jour-là par le curé ou le vicaire. «Déjà théologien en herbe, dit-elle, il posait ses petits problèmes relativement à l'explication donnée!»

La communion solennelle était un passage très important dans la vie d'un enfant, souligne Mlle Larochelle, qui décelait chez ses élèves la «faim de Dieu». Elle s'employait à nourrir cette faim de toutes les façons imaginables. Et elle ne manquait pas d'imagination.

Ainsi avait-elle adapté à l'usage de sa classe un mode de préparation que Thérèse Martin (sainte Thérèse de Lisieux) avait utilisé pour sa première communion. Elle avait déniché à Québec un exemplaire d'un petit livre dont la sainte parle dans son autobiographie. Chaque page présentait une fleur avec son nom, ses caractéristiques, son symbole et les moyens d'offrir à Jésus dans «sa corbeille de communion», c'est-à-dire dans son cœur, les actes de vertu symbolisés par la fleur du jour.

> Mes enfants excellaient à trouver ces actes dans leur petite vie quotidienne, souligne, encore ravie, la vieille institutrice. Et ils les disaient sans gêne, sans aucun respect humain! Ils étaient vingt préparants, mais les vingt-quatre autres voulaient partager aussi. Il y avait une période de vingt minutes d'étude avant la classe du matin et celle du midi. À leur demande, jusqu'au temps du catéchisme à l'église, ils approchaient leurs bancs tout près les uns des autres, autour de ma chaise, et nous étudiions ensemble nos petites fleurs au parfum de vertu...

La corédemption

Mademoiselle Larochelle avait mis au point un autre stimulant missionnaire. Sur des cordelettes nouées à tous les trois centimètres et tendues d'un côté à l'autre de la

classe, des petits bateaux suspendus par leur voile repré-
sentaient les continents. Chaque soir, après la classe, les
enfants faisaient état de leurs «sacrifices» pour les missions et on faisait avancer les bateaux: 25 sacrifices au
nœud! Par sacrifice, Mlle Larochelle entendait tout acte de
vertu: effort pour garder le silence en classe, application
à ses devoirs, gestes de charité dans tous les sens de ce
mot. En somme, une B.A., comme on disait chez les
scouts.

Ces sacrifices étaient faits dans l'esprit de saint Paul:
achever ce qui manque à la passion du Christ, explique
l'institutrice. L'œuvre de corédemption pour le salut du
continent de son choix demandait beaucoup de sacrifices... Ce travail missionnaire était le meilleur moyen
d'autodiscipline dans ma classe où enseigner devenait un
jeu passionnant!

Le mystère du salut tenait une place importante dans
la spiritualité de Mlle Larochelle. Parmi les enfants qui
étaient entre ses mains comme pâte à modeler, Henri en
sera tout particulièrement marqué. Dans ses souvenirs,
l'ancienne institutrice raconte une anecdote révélatrice.
Elle avait parlé à ses élèves de la dévotion au crucifix dont
le but est de «consoler le Christ dans son agonie et de
multiplier les actes d'amour à son égard». Elle avait
ajouté que ceux ou celles qui avaient la chance de posséder un crucifix «plus gros que celui de leur chapelet»
pouvaient le mettre sur leur cœur pour la nuit... Sur la
commode de la chambre à coucher d'Henri se trouvait
un crucifix-chandelier en verre, argenté de l'intérieur.
Vraiment gros, le crucifix. Ce soir-là, au moment de se
mettre au lit, Henri l'a retiré de sa base et l'a placé sur son

cœur, comme avait suggéré la maîtresse. L'histoire ne dit pas si Jésus s'en est trouvé consolé, mais la maman, qui dormait toujours d'une seule oreille, a entendu au cours de la nuit un bruit curieux venant de la chambre des garçons. Elle est entrée sur la pointe des pieds. Qu'est-ce qu'elle a vu? Le petit Henri qui respirait difficilement dans son sommeil, sous le poids de la croix! Bien sûr, elle l'en a soulagé, l'a bordé tendrement et le petit a continué son voyage «au beau pays du rêve», comme disait une berceuse des albums de *La bonne chanson*... Au petit-déjeuner, prenant bien soin qu'il ne l'entende pas comme un reproche, elle lui dit:

— Mais qu'est-ce que tu faisais, cette nuit, couché sur le dos avec un gros crucifix sur la poitrine? Je suis allée dans ta chambre et tu avais du mal à respirer...

— C'est Mademoiselle qui nous a conseillé de nous coucher avec un crucifix plus gros que celui de notre chapelet!

— Tu trouves pas que celui-là est un peu trop lourd? Écoute, je vais t'en trouver un plus léger pour la nuit prochaine. Ça te ferait plaisir?

«Je serais bien curieuse, ajoute Mlle Larochelle, de savoir tous les secrets d'amour qu'Henri avait dits à Jésus, tout bas, pour le consoler de son agonie...»

Comme bien des petits Québécois de cette époque, qui ne sont pas devenus prêtres pour autant, Henri aimait jouer à la messe, au grenier. Il trouvait des ouailles sur mesure dans les quatre plus jeunes: Paul-Émile, Benoît, Adéla et Marie-Anna. Cette dernière se souvient très bien des «vêtements liturgiques» en papier et des «hosties» découpées dans des boîtes à chaussures. Elle se rappelle aussi les sermons d'Henri, déjà éloquent!

Bien des années plus tard, le petit Henri étant devenu le père Eusèbe, son ancienne maîtresse d'école est allée le visiter à son premier séminaire de vocations tardives qui se trouvait encore à l'état de chantier. Elle n'a pas oublié cette rencontre. Outre l'enseignement, raconte-t-elle, il s'occupait de la construction du collège et devait trouver de jour en jour assez d'argent pour payer ses ouvriers. Il me disait la magnificence du Seigneur qui pourvoyait à tout! Je m'inquiétais:

— Ne vous trouvez-vous pas bien petit, Henri, devant l'immensité de la tâche entreprise?

— Oui, je me sens bien petit... Jusqu'à l'heure de ma messe. À ma messe, je reçois une force exceptionnelle qui est la force même de Dieu!

Après un bon moment de silence lourd d'émotion, le père Eusèbe ajoutait:

— Je veux vous dire, Mlle Larochelle, que ma vocation sacerdotale, c'est bien sûr aux prières de papa et de maman que je la dois. Mais c'est dans vos catéchismes que je l'ai découverte. Et je vous en remercie encore! Vous nous avez enseigné la valeur du catéchisme. Aussi, tous les dimanches, je réunis les gens d'un peu partout et je leur donne une heure ou deux de catéchisme. Cela assouvit un besoin de l'âme...

Mlle Larochelle conclut: «Depuis cette confidence d'Henri, j'ai prié plus encore pour lui. Je le considère comme mon fils spirituel.»

L'ancienne institutrice n'a certes pas vu Henri très souvent. Elle se souvient toutefois d'avoir été invitée aux noces du deuxième fils Ménard, Édouard. Elle s'était trouvée assise à côté de son ancien «As» de la troisième forte qui, portant encore la culotte courte, n'en étudiait pas moins au Séminaire de Saint-Victor. Elle a aussi été invitée à la première messe du père Eusèbe et au banquet qui a suivi. Le jeune prêtre avait demandé à sa mère d'inviter aussi deux couples de pauvres, en vrai fils de saint François, note Mlle Larochelle, toute fière de celui qui, dans son cœur, est encore « son petit Henri ».

Vocation hâtive

Vers l'âge de douze ans, Henri a manifesté le désir d'étudier en vue de devenir prêtre. Ses parents en ont parlé au curé d'East-Broughton. Ce dernier s'est trouvé dans l'embarras : il avait déjà recommandé un autre élève au collège de Lévis. Chaque paroisse n'avait droit qu'à une place gratuite par année pour un aspirant à la prêtrise. Il leur a suggéré de faire une demande au séminaire du Sacré-Cœur, à Saint-Victor-de-Tring, en Beauce, institution pour « vocations tardives », même si le sujet se manifestait plutôt comme précoce…

À cet endroit, l'âge minimum d'admission était de 15 ans. À la fin de son cours primaire, le jeune Henri n'aurait que 14 ans. Le chanoine Bernier, supérieur du séminaire, connaissait la famille. Il est venu en discuter avec les parents et rencontrer l'aspirant séminariste. Il a accepté de faire une exception à la règle et d'admettre Henri pour un essai d'un an. Il en sortira avec la médaille du lieutenant-gouverneur du Québec, distinction attribuée à l'étudiant qui s'était classé le premier de sa promotion. Benoît, le cadet des garçons, se souvient très bien du jour où Henri est rentré triomphalement de Saint-

Victor. Il a remis la médaille à sa mère, évidemment très émue. Puis il s'est enfermé un long moment dans sa chambre. Tout à la joie de revoir son grand frère, Benoît se demandait bien ce que le nouveau bachelier pouvait faire dans sa chambre, quand l'heure était à la fête.

— Veux-tu bien me dire ce que tu faisais là tout ce temps ?

— Je suis allé remercier le Seigneur de m'avoir donné du talent pour les études...

Benoît et Marie-Anna, la plus jeune de la famille, ont aimé tendrement ce grand frère si souvent absent. Tous deux évoquent avec nostalgie les vacances d'été où Henri entraînait les plus jeunes de la famille à la cueillette des petits fruits dans les champs et les bosquets avoisinants. Ou encore, à fouler les « voyages » de foin que leur père ou son employé rapportaient du 6e rang. Benoît n'aimait vraiment pas ces activités. D'ailleurs, il rechignait souvent à ce que sa mère lui demandait de faire. Il préférait de beaucoup aller jouer avec les copains. C'était Henri, se souvient-il, qui l'amenait habilement à obéir. Il se rappelle aussi que leur grand frère trouvait le tour de les faire prier quelques minutes par jour, tout en travaillant... Pendant les vacances d'hiver, c'était encore Henri qui les emmenait couper un sapin de Noël et préparait la crèche avec des personnages qu'il avait achetés au séminaire. Marie-Anna conserve encore précieusement ces statuettes depuis 65 ans...

« Que de doux et bons souvenirs j'ai gardés de mon frère ! confie-t-elle. Il aimait rendre service, aider chacun des membres de la famille, selon les besoins. J'ai été beaucoup marquée par lui : je lui dois beaucoup. »

Le collégien

Lorenzo Quirion, prêtre de Sherbrooke à la retraite, a été l'ami intime d'Henri au séminaire de Saint-Victor. À part le fait qu'il était plus jeune que les autres et premier de classe, le jeune Ménard ne s'est pas fait remarquer particulièrement.

> Les études, les longs exercices de piété et les travaux manuels retenaient toute son attention, souligne-t-il. Aucune initiative particulière. Pas même la Jeunesse étudiante catholique (JEC). Il n'était pas non plus très attiré par les sports. La ponctualité du strict devoir d'état, pour ainsi dire, était sa note distinctive.

Adolescent, Henri était sociable, mais il ne se laissait pas envahir. «Un brin solitaire», note son ami Lorenzo. Il ajoute :

> Son sourire, parfois taquin, était charmant. Il excusait facilement les travers des autres, quitte à paraître naïf, pour mieux pardonner. Sa modestie attirait à la manière d'un enfant dont toute la prétention est d'être capable de partager ses joies avec ses frères. Pour les intimes, une joie intérieure débordait de lui, comme une fleur qui s'épanouit et pousse sur la tige de l'amour partagé. Devenu plus tard missionnaire, il répétera souvent la consigne de l'apôtre saint Jean : «Ce que je vous commande, c'est de vous aimer les uns les autres».

L'abbé Quirion se souvient aussi que son ami, doté d'une belle voix chaude, aimait particulièrement le chant sacré. La messe était déjà la source et le sommet de sa vie. Il avait aussi pour Marie un amour tendre et fervent qu'il conservera toujours. «À la récréation du soir, précise-t-il,

Henri était fidèle à réciter le chapelet en déambulant avec un confrère, comme c'était alors la tradition dans plusieurs séminaires. La simple méditation du rosaire était sans contredit un avant-goût de ce que serait plus tard son oraison quotidienne.»

Comme prédicateur, le père Eusèbe allait se révéler un magicien du verbe. Ce talent ne s'est guère manifesté avant l'âge de 19 ans. Cette année-là, avec quelques confrères d'études, il réalise trois chars allégoriques pour la Saint-Jean-Baptiste: une première à East-Broughton! Quant à lui, vêtu comme un patriote de 1837, ceinture fléchée et tout, il livre un discours patriotique enflammé, entièrement de mémoire: un véritable triomphe! À bien y penser, ce jeune homme aurait très bien réussi en politique. Pendant ses années de séminaire, il a d'ailleurs été tenté par la carrière d'avocat. Ce talent inouï pour la parole, il allait le mettre au service de la Parole...

Jésus, aujourd'hui je veux vous remercier pour cette impression de rejet ou d'indifférence que me donnent les membres de ma bien-aimée famille spirituelle.

L'on va même jusqu'à me dire que l'œuvre des Saints-Apôtres va véritablement se développer et se stabiliser lorsque je serai mort. Merci! Merci! Merci! Seigneur! Je crois vraiment qu'ils ont raison.

L'Œuvre des Saints-Apôtres n'est pas mon œuvre. Vous m'avez gardé, Jésus, de toute illusion: c'est votre œuvre. [...] Comme de plus en plus je découvre mes limites, mes misères incurables, mes grands défauts que je n'arrive pas à corriger, mes nombreux péchés. Du fond de l'abîme, je crie vers vous, Seigneur!

Pardon, Jésus et merci. Je vous le redis: vous êtes le seul saint, vous êtes le seul grand, vous êtes le seul maître. Je me confie entièrement en vous: vous êtes mon seul salut ... et le salut de tous mes frères. Cela me remplit de joie et de paix!

Extrait de *Mon testament*, 4 août 1980

2

Sur les pas du Poverello

S A PASSION PRÉCOCE pour l'évangélisation, ses «conni-
vences» avec Thérèse de Lisieux, patronne des missions, son amour des pauvres, tout disposait Henri à
choisir la voie missionnaire. Le moment venu de s'engager dans le sacerdoce, il se sent pourtant appelé sur les
traces de François d'Assise.

Ses parents sont réticents à le voir entrer chez les
franciscains. Surtout sa mère qui trouve cet ordre religieux bien trop sévère: coucher sur la dure, pauvreté
absolue, discipline. Nul ne sait si ce sont ces réticences
qui ont pu faire pencher la balance, mais à la fin de ses
deux années de philosophie Henri annonce qu'il sera missionnaire. Il entre au séminaire des Prêtres des Missions
étrangères de Pont-Viau pour sa première année de
théologie. Il n'est pas dans son univers. Un an lui suffira
pour se convaincre tout à fait qu'il est appelé à la vie
franciscaine. Il est fasciné par la spiritualité du Pauvre
d'Assise: c'est elle qui le façonnera. Il entre donc au noviciat des franciscains de Lennoxville. Puis il fait ses trois

autres années de théologie au monastère de Rosemont. Il est ordonné prêtre le 28 septembre 1941, à l'âge de 25 ans.

Jeune prêtre, Henri, devenu le père Eusèbe, attachait une grande importance à l'ascèse.

« Pendant ses vacances à la maison, se souvient Marie-Anna, il ne couchait pas dans son lit, mais bien par terre ! Maman s'en désolait. Et au monastère, il suivait à la lettre le règlement l'enjoignant de *se donner la discipline*. Avec le temps, il a découvert que ce qui compte le plus, c'est de tout faire par amour. À la fin, ne serons-nous pas tous jugés sur l'amour ? »

Une force d'attraction

Le père Eusèbe fait deux autres années d'études en sciences sociales à l'Université de Montréal avant d'être lancé à fond dans le ministère. En raison de ses dons particuliers pour la prédication, il est affecté dès l'âge de 29 ans à la Maison du Christ-Roi, à Châteauguay-Bassin, maison de retraites dirigée par les franciscains. Jusqu'aux récentes années de déchristianisation, de nombreux catholiques québécois faisaient un stage annuel de ressourcement spirituel appelé « retraite fermée », par opposition aux retraites prêchées dans les églises paroissiales. Dès ses premières armes, le jeune prédicateur connaît un succès fulgurant. Bien plus qu'un brillant orateur, il se révèle un maître de spiritualité. Il est habité par un feu intérieur nourri par de longues heures d'oraison et de lecture méditée de l'Écriture sainte. Ce feu, il le communique à son auditoire avec un magnétisme phénoménal. À vrai dire, même s'il a fait des études très brillantes, ce jeune franciscain n'est pas un intellectuel. C'est plutôt un leader charismatique.

Plusieurs personnes qui ont profité de ses catéchèses se rappellent, cinquante ans plus tard, sa voix qui modulait sans cesse : des teintes chaudes aux accents métalliques. Ses gestes amples et expressifs. Et surtout, ils se souviennent de son enseignement axé sur le mystère de l'Incarnation et du Corps mystique du Christ. De sa confiance sans faille en un Dieu qui n'est qu'amour. En cela comme en bien d'autres choses il se révélait avantgardiste. La plupart des prédicateurs québécois de ce temps n'avaient pas découvert Thérèse de Lisieux : ils tonnaient la justice de Dieu...

Comme Jésus en son temps, le père Eusèbe interpellait, entraînait, fascinait. Il donnait à ses retraitants le goût du retour à la maison du Père. Sa parole de feu produisait des retournements, des conversions, des résurrections spirituelles. Plusieurs souhaitaient s'engager sur les pas de Jésus : *devenir levain dans la pâte, sel de la terre.* Quelques-uns se découvraient tardivement une vocation au sacerdoce. Plusieurs, célibataires ou veufs plus ou moins jeunes, n'avaient pas fait les études requises pour entrer au Grand Séminaire, soit le cours dit classique.

Un bon matin, en célébrant l'Eucharistie, à la fois centre et sommet de sa vie, le père Eusèbe se sent appelé par Dieu à fonder un séminaire pour ces *vocations tardives*, comme on disait alors. De nos jours, on parle plutôt de *vocations d'adultes*, par opposition aux vocations qui se manifestent dès l'enfance, à la fin des études primaires. Comme il faudra des prêtres pour former

ces séminaristes, il sera amené à fonder une nouvelle
famille spirituelle : la Société des Saints-Apôtres. Quant
aux convertis qui désiraient servir sans devenir prêtres, le bouillant franciscain n'allait pas tarder à les
mobiliser…

La richesse des pauvres

Un bon matin, à peine un an après son arrivée à la
maison de retraites, le père Eusèbe donnait une catéchèse
axée sur la justice sociale. Pour étayer son propos, il
recourait à l'Écriture sainte selon son habitude. En saint
Luc, peu après avoir mis ses disciples en garde contre le
pouvoir corrosif de l'argent, le dieu syrien Mammon,
Jésus leur raconte la parabole du riche et de Lazare
(*Lc* 16,19-31). Luc ne donne pas le nom du riche. Ce
pourrait être n'importe quel riche. Ce pourrait être tous
les riches. Sur le porche de sa maison cossue gît un
clochard couvert d'ulcères. Le pauvre salive en voyant
tous les précieux débris qui tombent de la table du riche,
mais il n'y a pas accès. Le riche et lui vivent dans deux
mondes. Tout comme, de nos jours, un fossé scandaleux
sépare les gavés des affamés. Seul le chien du riche fait
preuve de compassion : il vient lécher ses plaies.

Or tous deux meurent le même jour. Lazare est
« emporté par les anges auprès d'Abraham » tandis que le
riche se retrouve « au séjour des morts, soumis à la torture
du feu ». Il supplie le père Abraham de soulager sa soif :
ne serait-ce qu'une goutte d'eau ! Peine perdue. Il lui
demande alors d'envoyer Lazare auprès de ses cinq frères
afin qu'ils ne connaissent pas le même sort que lui. Pas

question non plus : ils ont Moïse et les prophètes. « S'ils n'écoutent pas Moïse ni les prophètes, fait valoir Abraham, même si quelqu'un ressuscite des morts, ils ne seront pas convaincus ! »

Non moins radical, le père Eusèbe explique qu'on n'est toujours que l'administrateur de ses biens : « La richesse des riches appartient aux pauvres ! » Non seulement ce paradoxe est-il tout à fait dans l'esprit de François d'Assise, mais il ressortit également à la culture judaïque. En effet, le riche est ainsi interpellé dans les psaumes : « Quand tu manges ton pain, c'est mon peuple que tu manges ! » Pour sa part, Jésus a souvent insisté sur la grande difficulté pour les riches d'entrer dans le Royaume. Plus difficile qu'il ne l'est pour le chameau de passer par le trou d'une aiguille... Il se trouve incidemment un riche dans l'auditoire : Hector Durand, familier de la maison de retraites du Christ-Roi, entrepreneur en bâtiment. C'est peu dire qu'il s'est senti interpellé par la parole de feu du père Eusèbe : il a été brûlé à la fibre de l'être. Au point de vouloir sur-le-champ suivre le jeune franciscain.

Hector Durand consacrera 27 ans de sa vie à l'Œuvre des Saints-Apôtres et toute sa fortune. Il est mort dans la pauvreté en 1972. Ce premier disciple allait rester un laïc sa vie durant tout en devenant le cofondateur de l'œuvre. Selon une gravure conçue par le père Eusèbe à l'intention des nombreux laïcs qui allaient lui emboîter le pas, Hector Durand est la main qui soutient la main du prêtre. Ensemble, elles soutiennent le monde... Ceux qui ont travaillé avec lui à l'un ou l'autre de ses nombreux chantiers témoignent de son incroyable endurance. Il travaillait souvent de sept heures du matin jusqu'à près de minuit. Vantant son zèle infatigable, le père Eusèbe disait de lui : « Regardez bien cet homme, vous n'en verrez pas souvent comme lui !... »

À bas le cléricalisme !

Bien en avance sur le concept d'Église « peuple de Dieu » qui sera affirmé par le concile Vatican II, et qui est loin d'être passé dans les mœurs, le père Eusèbe mise à fond sur le partenariat prêtres/laïcs pour réaliser son grand dessein. Il entend confier toutes les tâches administratives à des laïcs, de manière à dégager les prêtres pour leur ministère. Chez les franciscains, il y a des syndics laïcs qui administrent les biens de l'ordre. Le père Eusèbe va plus loin. Quelques mois avant la fondation de son premier séminaire, en 1946, il met sur pied une société civile sans but lucratif (corporation), Les Amis de Saint-Pascal, qui sera non seulement gestionnaire, mais bel et bien pro-priétaire dudit séminaire baptisé École apostolique Saint-Pascal-Baylon. Outre M. Durand, la société comprenait les hommes d'affaires J.-P. Laberge, J.-O. Dufort, Stanislas Chalifoux et Alphonse Déziel. Le père Eusèbe maintiendra ce modèle pour toutes ses fondations. Au Canada, à partir de 1953, une seule société civile admi-nistrera les différentes fondations : la Corporation de l'Œuvre des Saints-Apôtres dont le conseil d'adminis-tration est formé de laïcs en très grande majorité. N'étant pas un spécialiste en la matière, le père Eusèbe ne se doute probablement pas qu'il fait là un accroc au droit canon. Selon le droit ecclésiastique, les biens provenant de quêtes publiques ou de riches bienfaiteurs sont des biens d'Église. Il doit faire jouer de lourdes influences au Vatican pour que ce type de « non-propriété » soit toléré puis, un jour, l'objet d'un amendement au droit canon.

Cette démarche exemplaire de pauvreté et d'anti-cléricalisme n'a pas semblé embarrasser les évêques concernés. Au contraire, dans une lettre apostolique publiée en 1953, les neuf évêques de l'archidiocèse de Montréal, cosignataires avec le cardinal Paul-Émile Léger, se réjouissent de la croissance de l'Œuvre des Saints-Apôtres : « œuvre unique en son genre dans la province ecclésiastique de Montréal, elle semble déjà justifier les plus grandes espérances ».

Il faut croire que le cardinal a réussi à convaincre un certain nombre d'évêques puisque plusieurs s'étaient montrés très froids jusqu'alors à l'égard du concept de vocations tardives. C'est d'ailleurs pour ne pas froisser ces susceptibilités que le père Eusèbe a nommé assez curieusement son premier séminaire « école apostolique ». Comme appui à l'œuvre du père Eusèbe, la lettre pastorale de 1953 est sans équivoque : « La question des vocations tardives est à l'ordre du jour et réclame plus que jamais la vive sollicitude de ceux que préoccupent la gloire de Dieu, l'avenir de l'Église et le salut des âmes… »

Le parti pris du père Ménard pour la « non-propriété » est très franciscain. Le pauvre d'Assise voulait à tout prix que ses « petits frères » vivent dans la pauvreté absolue. Ne possèdent ni couvents, ni églises, ni collèges. En peu de temps, ils furent quelques milliers. De crainte qu'ils ne deviennent une horde de moines clochards, on écarta alors le saint fondateur du pouvoir afin de doter

l'Ordre des frères mineurs des mêmes structures de propriété et du même mode de vie que les autres ordres
religieux de ce temps.

Quant à la collaboration de plain-pied entre prêtres
et laïcs, elle se fonde sur la conception que saint Pierre a
du baptême chrétien comme «sacerdoce royal». «C'est
notre vocation à tous, écrira le père Eusèbe en 1986 dans
une revue missionnaire franciscaine. La plus haute
dignité qui puisse nous échoir. C'est sur elle et sur rien
d'autre que se fonde dans l'Église le droit au respect. Le
pape n'est pas chrétien à un degré plus élevé que tel
journalier baptisé, telle mère de famille catholique. Nous
tous, nous avons la même vocation. S'il y a des différences, il faut les chercher dans la manière différente dont
cette vocation est concrètement vécue.»

Sur ce point aussi, le père Eusèbe fait voir ses racines
franciscaines. Fait étonnant, François d'Assise est volon-
tairement demeuré laïc, tout en acceptant d'être ordonné
diacre afin de pouvoir prêcher la Parole. Le père Eusèbe
s'insurge contre la mentalité cléricale qui divise les baptisés en deux castes: les clercs tout en haut, engagés dans
un état de perfection, et les simples fidèles tout en bas. Il
affirme sans ambages: «L'état de perfection, terme mal
choisi pour désigner les religieux, ce n'est pas l'état religieux, mais l'état de chrétien.» Tout baptisé, rappelle-t-il,
est appelé à la sainteté: «Dieu veut simplement que nous
vivions conformément à notre vocation chrétienne dans
les différentes situations de la vie; que nous allions à la
rencontre du Christ à travers le quotidien; que nous met-
tions en pratique son Évangile.» Soulignant que les Actes
des Apôtres sont la source principale de la spiritualité de

son œuvre, il rappelle l'institution du diaconat dans l'Église apostolique qui visait à libérer les apôtres afin « d'assurer la prière et le service de la Parole ». (*Ac* 6,2-4)

Dans notre Société, écrit-il, nous devons apprendre à choisir des laïcs honnêtes et compétents pour collaborer à notre travail. Dans la plupart des cas, ils sont plus compétents que nous dans l'administration des biens matériels et ils peuvent diriger les œuvres, même les plus apostoliques, pourvu que nous les guidions, à condition surtout que nous leur donnions la Parole de Dieu.

Quarante ans plus tard, le père Eusèbe insiste sur les décrets de Vatican II concernant l'importance du laïcat dans la mission de l'Église de Jésus :

L'Église n'est pas fondée vraiment, elle ne vit pas pleinement, elle n'est pas un signe parfait du Christ parmi les hommes, si un laïcat authentique n'existe pas et ne travaille pas avec la hiérarchie. (*Ad gentes*, n° 21)

Les laïcs, soit étrangers, soit autochtones, doivent enseigner dans les écoles, avoir la gestion des affaires temporelles, collaborer à l'activité paroissiale et diocésaine, établir et promouvoir les diverses formes de l'apostolat des laïcs, pour que les fidèles des jeunes églises puissent assumer le plus vite possible leur propre part dans la vie de l'Église. (*Ad gentes*, n° 41)

Le père Eusèbe interpelle clairement ses disciples : « La plupart des Missionnaires des Saints-Apôtres (c'est le nom de la Société fondée au Pérou) ont encore à découvrir le rôle irremplaçable des laïcs dans l'Église. Je les invite donc à le faire par la méditation des textes de Vatican II qui traitent de cette question. » Pour être bien certain d'éviter toute équivoque, il précise :

Le Concile souligne que, dans l'Église du Christ, il y a bien différents états et de multiples fonctions et vocations, mais ni classes ni privilégiés : « *Il n'y a qu'un seul peuple de Dieu choisi par lui ; il n'y a qu'un Seigneur, une foi, un baptême* (Ep 4,5). Commune est la dignité des membres, du fait de leur régénération dans le Christ ; commune la grâce d'adoption filiale ; commune la vocation à la perfection. Il n'y a qu'un salut, une espérance, une charité indivisible. »

La première pépinière

Les supérieurs franciscains du père Eusèbe étaient réticents devant son projet de séminaire pour vocations d'adultes. Ils lui donnent tout de même le feu vert, mais l'avertissent très clairement : qu'il ne compte surtout pas sur l'Ordre pour contribuer à son financement. Leurs réticences se sont évanouies quand le jeune fondateur leur a montré un chèque de M. Durand au montant de 10 000 $.

L'école accueille ses premiers séminaristes le 20 septembre 1946. Ils sont une quarantaine, entassés dans cette vieille maison du boulevard Gouin, à Montréal-Nord. Abandonnée depuis plusieurs années, cette maison avait été la résidence d'été des Pères du Saint-Sacrement. Elle n'était pas chauffée. Il a fallu plusieurs semaines de travaux importants, sous la direction de M. Durand, pour la transformer en résidence permanente. Une douzaine d'étudiants vont coucher chez les franciscains, à l'école Léonard, et y prennent le déjeuner. Le corps professoral est composé de franciscains, de prêtres séculiers et de quelques laïcs, sous la direction du père Eusèbe.

Pat di Stasio, publiciste à la retraite, a été de cette première fournée. Il en parle encore avec émotion. Dans cette maison, modifiée tant bien que mal pour tenir lieu de collège, il régnait un climat de spiritualité très riche : pauvreté et abandon à la Providence, amour de l'Autre et des autres. Sur un des murs du rez-de-chaussée, près de l'escalier qui menait à l'étage, le père Eusèbe avait affiché une maxime de Lacordaire qu'il avait faite sienne et répétait souvent : *Ce que je sais de demain, c'est que la Providence se lèvera avant le soleil.*

Pour ces jeunes hommes âgés de 20 à 30 ans, le complément aux études et à la prière n'était pas les sports, comme dans les autres séminaires, mais bien le travail manuel, dans le plus pur esprit franciscain : vaisselle, entretien ménager, rénovation et construction. Tous les mercredis, accompagné de quelques étudiants, le père Eusèbe allait quêter la nourriture pour son petit monde dans les marchés d'alimentation qui regarnissaient ce jour-là leurs comptoirs frigorifiques... Il va sans dire que la table était plutôt frugale et pas très variée. En automne, tous les jours, midi et soir, il y avait de la compote de pommes pour dessert. Il se trouve que le Père Eusèbe avait un bienfaiteur pomiculteur à Châteauguay... Il y avait souvent du jambon au menu. Or un midi où on mangeait du jambon pour la énième fois en un mois, le père Eusèbe avait un invité à sa table, probablement un grossiste en alimentation. Il le présenta à la petite communauté en ces termes : « Vous savez, le jambon là... Eh bien, c'est lui ! » Il va sans dire que le mot a fait fortune...

M. di Stasio n'a fait qu'un an au séminaire. Il y a pourtant connu des amitiés qui durent encore, un demi-siècle plus tard. Le père Eusèbe ne l'a pas oublié non plus. En 1976, soit trente ans après avoir quitté Saint-Pascal-Baylon, il recevait un coup de fil de la Fondation Père-Eusèbe-Ménard. On sollicitait son aide comme membre du conseil d'administration : comment refuser cela au père Eusèbe ? Il en deviendra le président. Il collabore encore à la fondation comme membre du conseil d'administration. Sans doute était-ce là sa vocation …très tardive !

«Apportez donc vos salopettes!»

Parmi les cobayes du père Eusèbe, il y en a un qui avait rendez-vous avec lui, un jour de septembre 1946 dans un parloir de l'austère monastère des franciscains, boulevard René-Lévesque (appelé alors Dorchester). Il s'attendait à voir surgir un vieux moine à barbe blanche. Imaginez : un directeur de séminaire pour vocations tardives ! L'homme jeune qui se présente à lui fait plutôt austère dans la bure franciscaine, pieds nus dans ses sandales. Poignée de main franche, sourire aux lèvres, il est tout de même très accueillant. Le jeune homme se nomme Marcel Paquette. Un mot du franciscain lui reste de cette entrevue : «Je ne sais pas ce que me réserve la Providence mais, même si je ne donnais qu'un seul prêtre à l'Église, je serais heureux d'y avoir consacré toute ma vie !… »

Le jeune Paquette est retourné chez lui le cœur rempli d'espoir. La réponse lui est venue dès le lendemain : «Venez me voir demain au 3675, boulevard Gouin Est, à Montréal-Nord. » Le père avait ajouté : «On aurait bien besoin de vos services, si vous pouvez… Au cas où… apportez donc vos salopettes !»

Il ne pouvait pas deviner que les salopettes, c'était pour travailler avec Hector Durand, le cofondateur de Pascal-Baylon, cet homme tout simple au cœur généreux que Dieu a mis sur la route du père Eusèbe. L'aspirant séminariste ne peut imaginer non plus qu'il sera invité 50 ans plus tard, après une carrière missionnaire bien remplie, à faire l'éloge du fondateur de l'Œuvre des Saints-Apôtres, au souper annuel de la Fondation, le 20 octobre 1996.

Comme la plupart des jeunes que le père Eusèbe approchait, il a été subjugué par son charisme, à mesure que le jeune maître dévoilait une spiritualité basée sur une solide formation philosophique et théologique : Thomas d'Aquin et Duns Scot. L'orientation spirituelle qu'il leur donnait était centrée sur trois points : *l'admirable plan de Dieu, le Corps mystique du Christ* et *Jésus, la vraie Vigne*... Il tapissait les murs de la maison de pensées qu'il voulait vriller dans le cœur de ses émules. Par exemple : *La charité du Christ nous presse ! Celui qui ne travaille pas n'a pas le droit de manger.*

« Il était doué d'une éloquence convaincante, souligne le père Paquette. On aurait dit que Jésus parlait toujours par sa bouche, tant il le gardait présent dans son cœur. À la Parole il joignait les actes. Comme Jésus et son patron, saint François, il a toujours et partout donné préférence aux petits, aux pauvres, aux ouvriers de la dernière heure, aux mis de côté, aux exclus. »

Au cours des trois années qui suivent ces débuts héroïques, le père Eusèbe achète les maisons avoisinantes pour y loger tant bien que mal une soixantaine d'étudiants, grâce à la générosité de M. Durand et de quelques autres. Devant les demandes qui ne cessent d'affluer de partout, même des États-Unis, le père Eusèbe fait l'acquisition d'une ferme à Sainte-Catherine-de-Laprairie sur laquelle il construira une maison capable d'accueillir 300 étudiants : le Séminaire des Saints-Apôtres.

Dans les mois qui suivirent, on devine que les salopettes ont été à l'honneur ! Chaque jour de congé ramenait les séminaristes de Saint-Pascal-Baylon sur ce chantier mené de main de maître par l'infatigable Hector Durand. Dès 1950, les étudiants déménagent dans le nouvel édifice dont la construction était loin d'être achevée. Il ne sera « inauguré » que le 6 septembre 1952 par Mgr Gérard-Marie Coderre, évêque-coadjuteur de Saint-Jean-de-Québec (aujourd'hui Saint-Jean-Longueuil) et bénit, le lendemain, par Mgr Paul-Émile Léger, archevêque de Montréal.

Fondations en cascade

À travers toutes ces occupations, le père Eusèbe mûrissait un projet audacieux : créer une nouvelle famille de prêtres et de frères dont le charisme propre serait de susciter des vocations sacerdotales d'adultes et d'adolescents qui n'avaient pas fait le cours classique et de les accompagner jusqu'à l'autel : la Société des Saints-Apôtres. Chez lui, il n'y a jamais loin de l'intuition à la réalisation. Dès l'année suivante, soit en 1953, le premier prêtre de la société, le père Roland-Jules Doucet, est ordonné.

Dès les débuts de Saint-Pascal-Baylon, les Petites Sœurs de Saint-François collaborent avec le père Ménard comme aides domestiques. Elles se chargent principale-

ment de la cuisine et de la couture. Ces religieuses ont
l'aide de quelques femmes laïques. L'une d'elles, Laurette
Toupin, est professeure de bibliothéconomie à l'Université de Montréal et consacre bénévolement quelques
heures par semaine à Saint-Pascal-Baylon. Le père Eusèbe
a fait sa connaissance par l'entremise de son frère,
Georges Toupin (Gros-Gras dans *Le Survenant*) de qui il
avait suivi des cours d'élocution et de chant chez les franciscains. Laurette Toupin sera attirée par le charisme du
père Eusèbe au point de quitter sa carrière et de devenir
la première supérieure des Sœurs des Saints-Apôtres, sous
le nom de sœur Marie. Vers 1960, la communauté comptait une quarantaine de sœurs. Il n'en reste que six dont
l'âge va de 59 à 89 ans et il n'y a pas de relève. L'une
d'elles, sœur Louise, qui a 50 ans de profession, se rappelle avec émotion à quel point elle a été fascinée par la
simplicité et l'esprit de pauvreté du fondateur. À ses yeux,
ces humbles femmes avaient l'impression d'être aussi
importantes que les prédicateurs les plus érudits. Plus
tard, au Pérou, le père Eusèbe contribuera à la fondation
d'une autre branche de la famille dont les membres se
voueront principalement à l'activité missionnaire : la Fraternité des Missionnaires des Saints-Apôtres.

La fièvre des fondations se poursuit de plus belle. En
1954, à la demande du cardinal Léger, le père Eusèbe et
M. Durand entreprennent la construction d'un édifice
imposant à Rivière-des-Prairies, dans l'est de l'île de
Montréal : le collège Saint-Jean-Vianney destiné aux
vocations tardives qui accueillera ses 125 premiers étudiants en septembre 1959. En 1957, le père Eusèbe fonde
le Holy Apostles Seminary à Cromwell, au Connecticut.
En 1958, il ouvre une maison de retraites pour étudiants

au collège Saint-Jean-Vianney et il fonde le collège Saint-Pierre, à Saint-Jérôme, institution destinée aux adolescents. La direction de ce collège et les professeurs sont nommés par l'évêque de Saint-Jérôme, Mgr Émilien Frenette. L'année suivante, le père Eusèbe ouvre la Maison Saint-Paul, à Montréal-Nord, maison de retraites pour prêtres, professionnels et autres groupes spécialisés. Enfin, en 1961, Mlle Emma Curotte cède à la Corporation de l'Œuvre des Saints-Apôtres, pour la somme symbolique de 1 $, un domaine à Chertsey sur lequel elle a édifié une chapelle dédiée à Marie.

Ouf! En quinze ans, le fougueux franciscain a fondé deux communautés (nommées *sociétés de vie apostolique* selon le droit canon), une de prêtres et de frères, l'autre de sœurs; plusieurs corporations civiles, quatre séminaires et deux maisons de retraites. De plus, il a accepté la responsabilité d'un centre de pèlerinage marial. Qui dit mieux?

Mon Dieu, mon Père, avec et dans mon corps mortel, en Jésus et par Jésus, je veux réaliser le grand rêve de ma vie.

Vous obéir en tout avec joie et amour.

Être présent, avec votre message d'espérance, à chacun de mes frères, les hommes, dans leurs moindres nécessités.

En particulier, être présent à chacun de ceux qui souffrent l'oppression, l'injustice ;

qui luttent pour être meilleurs et pour que le monde soit plus beau et libre dans le Christ.

Être présent à chaque frère qui est malade,

qui a faim,

qui a soif,

qui pleure,

qui désespère,

qui s'enfonce dans la nuit des plaisirs — plaisirs qui le détruisent et péchés qui le tuent — pour qu'il espère contre toute espérance.

Extrait de *Mon testament*, 25 mars 1975

3

Le chemin de la croix

Dès les débuts de son ministère, le père Eusèbe a été amené à s'occuper de relève sacerdotale. En 1945, à la demande de Mgr Joseph Charbonneau, archevêque de Montréal, il a collaboré avec l'abbé Alphonse Bolduc. Dans un sous-sol d'église, ce dernier avait ouvert un externat qui donnait des cours de rattrapage (latin et grec) aux étudiants issus des voies commerciales ou scientifiques, pour leur permettre d'entrer au Grand Séminaire. Tout en poursuivant sa mission de prédicateur, il était le père spirituel de cet externat. Grâce à la générosité et au travail de M. Durand, de même qu'à des dons provenant de divers amis dévoués à la cause sacerdotale, un nouveau collège fut aménagé dans un vieux couvent agrandi et rénové : le séminaire Marie-Médiatrice.

À la mort de l'abbé Jean Chaput, en 1956, le cardinal Léger a confié au père Ménard la direction de l'institution. Il est assisté de deux membres de la Société des Saints-Apôtres, les pères Roland-Jules Doucet et Marcel Paquette. Les autres postes de responsabilité sont attribués à des prêtres séculiers. Différences de mentalités entre les deux groupes et divergences quant aux moyens pédagogiques à mettre en œuvre font en sorte que la mayonnaise ne prend pas, comme on dit. Après un essai d'un an, le père Eusèbe demande d'être relevé de ce mandat. L'expérience le convainc plus que jamais qu'un séminaire de vocations d'adultes peut difficilement être un externat. Il faut un incubateur, en quelque sorte, où le candidat puisse faire l'expérience de Dieu dans un cheminement communautaire, tout en poursuivant ses études. De plus, le père Eusèbe trouve important d'accueillir aussi les personnes plus âgées qui ont quitté les études depuis plusieurs années, à un niveau plus ou moins élevé.

Cet homme sûr de lui qui va de succès en succès dans le champ pastoral, ce prédicateur admiré, ce fondateur adulé par ses disciples aurait pu sombrer dans l'orgueil s'il n'avait connu la croix. De fait, il a été crucifié par de lourdes épreuves.

La première croix, qu'il portera pendant 25 ans, est le conflit terrible qui l'a opposé au cardinal Léger et qui a entraîné son exil du Québec. Ces deux-là étaient pourtant faits pour s'entendre. Deux personnalités charismatiques, deux apôtres tout feu tout flamme. Deux bâtisseurs infatigables. Deux visionnaires à l'esprit missionnaire. Comment ont-ils pu se heurter à ce point ? Il faut bien dire aussi qu'ils étaient tous deux autoritaires et conscients d'être porteurs d'une mission, mais cela n'explique pas l'ampleur de la confrontation ni la durée de la brouille.

Dès sa nomination à Montréal, Mgr Léger entretient d'excellentes relations avec le jeune prédicateur franciscain au souffle prophétique. Fasciné par le succès du séminaire des Saints-Apôtres, il l'invite à fonder un autre séminaire dans son archidiocèse. Dans la lettre pastorale de 1953, il faisait l'éloge de l'Œuvre des Saints-Apôtres et de son fondateur. Cette année-là, le jeune cardinal avait aussi déclaré publiquement que le père Eusèbe était pour lui « une inspiration dans toutes ses œuvres ». Qu'est-ce qui a bien pu se passer pour qu'il mette l'une et l'autre en tutelle deux ans plus tard ? Il faudrait une enquête minutieuse dans les archives diocésaines et dans celles du Vatican pour avoir le fin mot de cette triste histoire. Bien sûr, cela dépasse le cadre de cette monographie.

Les témoins, collaborateurs religieux et laïques du père Eusèbe, mettent de l'avant plusieurs facteurs. Aucun n'est assez lourd, en lui-même, pour expliquer vraiment le drame. Sans doute faut-il tenir compte des mœurs ecclésiastiques du temps et d'un ensemble d'irritants qui se sont produits au fil des ans.

Dans les années d'après-guerre, le clergé québécois est bien loin de pressentir l'effritement de la chrétienté dont les signes ne manquent pourtant pas. Dans l'esprit du temps, l'autorité absolue était entre les mains de quelques personnes. À Montréal, la « Ville aux cent clochers », on construit encore des églises.

L'Église de ce temps ne parle que d'une vocation. Deux à la rigueur : le sacerdoce et la vie religieuse. Les autres états de vie, de niveau inférieur, n'ont pas le caractère de vocation. Du moins, pas dans les faits. Les curés et les recruteurs patrouillent les écoles, puisque c'est dans l'enfance que tout se joue, à la recherche de bons sujets. Nombre d'avocats et d'ingénieurs québécois doivent d'ailleurs leur ascension sociale au fait qu'ils étaient de bons sujets, même si leurs parents n'avaient pas les moyens de les envoyer au séminaire. C'est dire que le taux de « réussite sacerdotale » était très bas. En tel cas, le bon sujet avait vécu toute sa vie « pré-cléricale » en serre chaude : de la famille au petit séminaire et du petit séminaire au grand… Tel était le climat social et religieux dans lequel s'est jouée la terrible confrontation dont il est ici question. Voyons maintenant les principaux irritants.

• En raison de son statut de franciscain, le père Eusèbe relevait des supérieurs de son ordre, l'un des trois plus importants, avec les jésuites et les dominicains. Du moment qu'il obtenait l'autorisation de « l'évêque du lieu » pour fonder un séminaire ou une maison de retraite, l'administration de ces institutions relevait de nouvelles corporations indépendantes.

• Dans l'ensemble, le clergé montréalais était plutôt hostile au concept de vocations tardives. Surtout les prêtres les plus âgés et les plus influents qui tenaient mordicus à la serre chaude, même si le champ des vocations tardives se révélait plus productif par rapport aux efforts investis. Ainsi, du temps de Mgr Charbonneau, c'était à cause de cette hostilité que le père Ménard avait déménagé son premier séminaire à Laprairie.

• La pauvreté poussée jusqu'à la « non-propriété » que pratiquait le père Eusèbe était loin de faire l'unanimité. Non seulement était-ce étranger au droit canon, mais cela réduisait les pouvoirs du prêtre dans une Église ultra-cléricale.

• Toutes ces œuvres que le jeune franciscain suscitait comme champignons après la pluie, cela soulevait des craintes et, probablement, des jalousies. «Vous mettez des enfants au monde et vous ne vous en occupez plus!» lui reprochaient le cardinal Léger et Mgr Coderre. Désarmant d'esprit évangélique, le petit franciscain répondait : «Mais je n'abandonne pas mes enfants : la Providence s'en occupe!...»

- Dans ses séminaires, le père Eusèbe hébergeait parfois des «prêtres à problèmes» qu'il avait repêchés et qu'il tenait la tête hors de l'eau. Le geste était sans doute évangélique. Mais il n'en scandalisait pas moins plusieurs pour qui il était inconcevable de mettre sous les yeux de séminaristes l'exemple de «prêtres indignes»...

- Le père Eusèbe faisait preuve d'une aptitude inouïe à débusquer des mécènes pour ses œuvres. Il avait l'oreille (et le cœur) de quelques-uns des plus riches industriels et hommes d'affaires du Québec. Comme ce bassin était plutôt petit, ne lui arrivait-il pas de pêcher dans les eaux «diocésaines»? Possible. Même très probable...

La tutelle

Il suffirait de pousser quelque peu l'enquête pour allonger cette liste. L'affaire est d'une complexité inouïe. À la Sacrée Congrégation des religieux, à Rome, le dossier de l'Œuvre des Saints-Apôtres fera plus de 1500 pages au moment où le conflit atteindra son point culminant.

Le 15 juillet 1955, les prêtres, les frères et les sœurs de la Société des Saints-Apôtres émettent leur premier serment de fidélité en présence du cardinal Léger. Un très

grand moment pour le père Eusèbe qui, tout en demeu-
rant franciscain, se trouve «supérieur général» d'une
nouvelle famille spirituelle.

Il ne lui sera pas permis toutefois de s'installer dans
l'euphorie. Quatre jours plus tard, comme un violent
orage dans un ciel bleu de canicule, la tutelle s'abat sur
son œuvre. Par une procédure d'exception prévue au
droit canon, le cardinal Paul-Émile Léger et Mgr Gérard-
Marie Coderre nomment un «délégué» auprès de
l'œuvre : le père Gommaire Van den Broeck de l'Ordre
des prémontrés, réputé canoniste d'origine belge.

Dans un document schématique sur l'histoire de la
Société des Saints-Apôtres, la mesure est notée dans une
invraisemblable langue de bois où se reconnaît bien le
canoniste :

> Afin de mieux harmoniser les relations de l'archevêque de
> Montréal et de l'évêque de Saint-Jean-de-Québec avec le
> fondateur de l'Œuvre des Saints-Apôtres, les deux évêques
> nomment le père Gommaire Van den Broeck, de l'Ordre
> des prémontrés, leur délégué commun et propre avec
> l'autorité qu'ils ont ou qu'ils auraient et les pouvoirs qu'ils
> exercent ou qu'ils exerceraient sur les personnes et les
> choses de la nouvelle fondation. Il a le mandat de donner
> les autorisations et de prendre les décisions qu'il juge
> nécessaires après les avoir soumises préalablement à
> l'approbation de l'un ou l'autre des deux évêques ou des
> deux à la fois, selon le cas.

En clair, cela signifie que l'œuvre et son fondateur
sont en tutelle. Le religieux belge a les pleins pouvoirs. Le
père Eusèbe n'a plus de supérieur que le titre. Du moins
en droit. La réalité est cependant tout autre. Et c'est ce
qui fait que les choses n'en resteront pas là. Le «Père»,

comme ses disciples l'appellent, conserve toute l'affection de ses collaborateurs. De nature charismatique, et non hiérarchique, son leadership est intact. Peut-être s'en trouve-t-il affermi, les troupes resserrant les rangs autour de leur fondateur bien-aimé. Le prémontré, même s'il détient théoriquement le pouvoir, restera toujours comme un corps étranger.

Il n'empêche que cette tutelle a été un vrai calvaire pour le fier Beauceron, l'homme d'initiatives et d'honneur qu'était le père Eusèbe. Il ne s'en est jamais plaint auprès de ses disciples, sans doute pour ne pas saper le moral des troupes. Il a très certainement rongé son frein, tout en priant pour être délivré de son « ange gardien »...

La mesure d'exception n'a pas freiné le zèle apostolique du père Eusèbe, comme on a pu le voir plus haut. À l'automne 1955, les locaux de l'ancien Collège apostolique, à Montréal-Nord, deviennent la maison de probation de la Société des Saints-Apôtres (noviciat), sous le nom de Maison Saint-Pascal. Moins d'un an après l'arrivée du « délégué » Van den Broeck, soit le 25 mars 1956, le cardinal Léger et Mgr Coderre reconnaissent officiellement le statut de la nouvelle Société.

L'exil

Quant à la mission du père Van den Broeck, si elle consistait vraiment à « harmoniser » les relations entre le père Eusèbe et les deux évêques qui l'avaient mandaté, on peut dire qu'elle a été pénible. Durant toutes ces années, il s'est joué un impressionnant « bras de fer » au Vatican. Le père Eusèbe avait des appuis très importants au sein de l'Ordre des franciscains et à la Sacrée Congrégation des religieux, tandis que l'archevêque de Montréal pesait évidemment de tout son poids cardinalice…

À l'été 1961, la situation s'est envenimée au point que la Sacrée Congrégation des religieux décide d'enquêter elle-même sur toute l'Œuvre des Saints-Apôtres. Elle nomme à cette fin comme « visiteur » un oblat de Marie-Immaculée : le père Arthur Caron. Le rapport de ce dernier n'a évidemment pas été rendu public, mais la suite des événements donne à penser qu'il était largement positif, du moins quant à l'œuvre elle-même.

Pour ce qui est du fondateur, il sera cassé. Le 25 juin 1962, rappelé à Rome par le ministre général des franciscains, il apprend que le cardinal Léger a demandé et obtenu des autorités vaticanes qu'il soit interdit de ministère au Québec et dans l'Est du Canada. Il est banni, exilé : rien de moins ! Ce coup de massue assomme véritablement le père Eusèbe. Il vit un vrai Gethsémani. On l'a entendu pleurer comme un enfant dans sa chambre qu'il devait quitter à jamais. Il était éloigné de ses enfants, comme un père indigne, pour des choses qui lui semblaient bien secondaires, en regard de la mission.

Au Vatican, ses supérieurs lui font prendre conscience que la bataille est bel et bien perdue. Deux voies possibles : la révolte et l'amertume ou l'acceptation de cette croix, dans l'espoir d'une résurrection. Par ailleurs, ses contacts à la Sacrée Congrégation des religieux lui donnent à entendre que son œuvre lui survivra. Mais pour combien de temps ?

Pendant quelques semaines, dans la Ville éternelle, le père Eusèbe est tout à fait déprimé. Il est accompagné par son secrétaire, le frère Léopold Pelletier. Ce dernier sera ordonné prêtre quelques années plus tard et restera toujours dans le sillage du fondateur. Non sans humour, un de ses confrères franciscains décrit alors le père Eusèbe comme « une sorte de saint délinquant ». Ses supérieurs lui gardent cependant toute leur confiance. Ils l'incitent à tourner la page et à poursuivre l'œuvre qu'il a entreprise au Connecticut, en 1956-1957, le Holy Apostles Seminary qui deviendra une formidable pépinière de vocations. En plus de préparer des adultes et des jeunes au baccalauréat en vue de leur entrée dans un noviciat ou un grand séminaire, cette institution offre aujourd'hui un cours complet de théologie aux adultes désireux de devenir prêtres. À partir de 1978, il est ouvert aux étudiants externes — hommes et femmes. Depuis 1981, on y décerne le *Master of Arts Degree* en théologie.

De plus, un ami franciscain, Mgr Damase Laberge, évêque du Vicariat apostolique Saint-Joseph, en Amazonie péruvienne, qui était à ses côtés quand la terrible sentence est tombée, lui suggère de « refonder » son œuvre au Pérou où le besoin de prêtres autochtones est criant. La Société y avait déjà entrepris un travail apostolique en 1960. Il n'en faut pas plus pour rallumer chez lui la flamme missionnaire...

De son côté, le cardinal Léger n'en reste pas là. Une semaine après le départ du fondateur, alors que ses disciples vivent un deuil lancinant, le cardinal les convoque au collège Saint-Jean-Vianney pour leur donner ses directives. Il leur tient un discours d'une incroyable sévérité. « Vous avez poussé sur le fumier de l'orgueil, leur dit-il entre autres, et vous êtes voués à l'extinction ! » Il va jusqu'à leur défendre de communiquer avec leur fondateur par quelque moyen que ce soit. Il confirme le père Van den Broeck dans son rôle de «modérateur délégué» et il nomme de surcroît le sulpicien Arthur Delorme «modérateur spirituel au for externe». Ce second mandat de tutelle n'a duré que quelques mois, personne ne voyant trop bien en quoi il consistait, à commencer par le mandaté lui-même! En fait, le cardinal ne l'avait pas annoncé publiquement, mais il avait confié à M. Delorme le démantèlement de la Société. C'est bien pourquoi il avait invité ses membres prêtres à se disperser, chacun dans son diocèse d'origine, comme prêtres séculiers. Au moment où le clergé séculier et les communautés religieuses connaissent les premières manifestations d'une saignée qui les laissera exsangues en quelques années, aucun disciple du père Eusèbe n'a quitté le bateau. Au contraire, l'acharnement du cardinal les a confortés dans leur ardent désir de sauver l'œuvre du «Père». Pour qu'il soit fier d'eux dans son exil…

Il est difficile d'expliquer une telle hargne de la part du cardinal pour un homme qu'il a admiré et encouragé au début de son ministère et pour une cause qui lui tient particulièrement à cœur: les vocations d'adultes. Outre les irritants dont il a été question plus haut, peut-être faut-il accorder une importance notable à la quasi-faillite d'une autre œuvre sacerdotale qui s'était développée de façon phénoménale quelques années plus tôt, endettée au point de faire face à un gouffre financier. Le cardinal Léger avait dû quêter des fonds dans toute l'Église canadienne pour lui éviter la faillite. Cette aventure l'avait sans doute traumatisé. Ses principaux conseillers voyaient proliférer l'œuvre du père Eusèbe, dont la gestion leur échappait, et s'inquiétaient sans aucun doute eux aussi. La Corporation de l'Œuvre des Saints-Apôtres avait elle aussi de lourdes dettes. Principalement des hypothèques. Ses créanciers ne l'ont jamais traînée en procès. Mais il fallait tout de même payer les intérêts de ces emprunts.

La tutelle a duré 10 ans, jusqu'à ce que le père Couture devienne supérieur général, en 1965. Pendant toutes ces années, le cardinal Léger et Mgr Coderre recevaient régulièrement des lettres anonymes qui dénonçaient l'action du père Van den Broeck. Il semble que ces lettres aient été écrites par un des «prêtres à problèmes» que le père Eusèbe hébergeait. Elles étaient envoyées à son insu, bien sûr, ce que ne pouvaient savoir leurs destinataires. Elles ont certainement eu pour effet d'enraciner les préjugés qui avaient cours sur le père Eusèbe et son œuvre. Il est vrai que le procédé était particulièrement odieux…

En quittant son mandat pour le moins ambigu, le sulpicien Delorme avait dit au cardinal, en langage sportif : «Éminence, vous avez gagné un round mais vous allez perdre le match!» Autrement dit : le Prince de l'Église avait vaincu l'humble franciscain, mais il ne pourrait déraciner l'œuvre. Les événements lui ont donné raison. En septembre 1962, le père Gommaire Van den Broeck est nommé procureur général de son Ordre, à Rome. Le cardinal lui conserve l'autorité sur l'œuvre, mais il l'autorise à désigner un prêtre de la Société, le père Rémi Couture, comme son «vicaire», le 6 janvier 1963. Ce dernier est requis de faire rapport au père Van den Broeck «sur tout ce qui se fait dans la Société» et de lui envoyer à Rome les rapports des réunions du Conseil général.

La réconciliation

Ce fonctionnement boiteux tournait à la caricature. Cela
ne pouvait durer. Deux ans après en avoir prédit et sou-
haité l'extinction, soit le 15 août 1965, le cardinal Léger
promulgue le décret d'« érection canonique » de la Société
des Saints-Apôtres devant quelque 700 personnes réunies
dans la chapelle du collège Saint-Jean-Vianney. Cette
reconnaissance approuvée, sinon imposée par la Sacrée
Congrégation des religieux est suivie de l'élection du
Conseil général de la nouvelle société : le père Rémi
Couture en devient le supérieur général. Cinq mois plus
tard, le cardinal autorisera la Société à aller fonder un
séminaire de vocations tardives en Afrique… Comme
quoi l'Esprit souffle où il veut !

Quatre ans après ce premier indice de dégel, le cardinal a profité d'un dîner-bénéfice de l'Œuvre des Saints-
Apôtres, auquel il était le conférencier invité, pour
présenter ses excuses à la Société. Il n'a pas fait référence
explicitement au discours outrancier de 1962, mais c'est
bien cette condamnation sans appel que la plupart des
quelque 650 convives — surtout les membres de la
Société — avaient à l'esprit. Il s'est écoulé toutefois neuf
autres années avant que le cardinal fasse la paix avec le
père Eusèbe. La paix qui sourd du pardon. C'est un geste
divin : hors de notre portée. Un don de l'Esprit Saint.
L'histoire de cette réconciliation incite à croire que
l'Esprit est non seulement amour, mais aussi humour.

Au cours des années du Concile, le cardinal avait
fondé Fame Pereo. Il avait aussi lié amitié avec Mgr Jean
Zoa, archevêque de Yaoundé, capitale du Cameroun.

Après sa démission de l'archevêché de Montréal, il a entrepris une tournée africaine dans l'espoir d'être accueilli dans l'un ou l'autre de ces pays. Il faut bien dire que c'est plutôt encombrant, un cardinal missionnaire : difficile à caser pour cause de surqualification ! Son ami Jean Zoa lui a tendu la main. Il est arrivé à Yaoundé le 27 décembre 1967. Il semble bien qu'il ne se souvenait plus alors avoir autorisé la Société des Saints-Apôtres à ouvrir une mission au Cameroun. Si bien qu'il est devenu le vicaire d'un curé membre de la Société, à Nsimalen, le père Bouchard. Il y restera pendant douze ans, dont six avec le père Bouchard. Ce dernier est de la première fournée de disciples du père Eusèbe. Originaire du Lac Saint-Jean, il a été boucher de son métier avant de devenir prêtre missionnaire. Au cours de ces années, le père Bouchard a eu l'occasion de parler au cardinal de son fameux discours. Seule explication du cardinal :

— Le père Ménard n'était pas obéissant.

— Pas obéissant, le père Eusèbe ? Il n'a jamais rien entrepris sans l'accord des évêques !… C'est vous, les évêques, qui lui demandiez de fonder ici ou là… Et puis, tant qu'à y être, Éminence, n'avez-vous pas outrepassé vos compétences en nous défendant d'entrer en relation avec le « Père » ? Quant à moi, je dois confesser que je vous ai désobéi. Moins d'un mois après son exil, je suis allé le visiter à Cromwell, avec ma mère et un ami. Il a pleuré sur mon épaule pendant deux jours !

À la suggestion du père Bouchard, le cardinal a écrit une carte au père Eusèbe, en 1968. Il lui disait, en substance : « Les voies de la Providence sont vraiment insondables. Vous êtes missionnaire au Pérou et moi, en

Afrique!» Le père Eusèbe lui a aussi répondu par carte postale.

Le curé Bouchard n'est pas du genre à désarmer facilement. Il cherche une autre bonne occasion de provoquer une réconciliation. D'autant plus que son cardinal de vicaire lui confie alors être très fier de l'Œuvre des Saints-Apôtres et du travail de la Société. En 1978, apprenant que le père Eusèbe doit se rendre au Ghana, il l'invite à faire un détour par Yaoundé. Ce dernier lui fait remarquer que ce n'est peut-être pas opportun, vu la présence du cardinal à son presbytère. Le père Bouchard le relance. «Je lui ai fait savoir, raconte-t-il, que le père Eusèbe et lui m'avaient interpellé au cours de ma vie. Que tous deux avaient la paternité de l'Œuvre des Saints-Apôtres. Je lui ai dit de venir voir ses enfants!» Le genre d'invitation que le «Père» pouvait bien difficilement refuser...

Quand les deux hommes, qui s'évitaient comme chien et chat depuis tant d'années, se sont trouvés face à face, ils se sont donné une longue accolade puis sont disparus pendant près d'une heure dans le bureau du cardinal-vicaire. On ne sait évidemment ce qu'ils ont pu se dire, mais tous se sont réjouis de les voir sortir avec un sourire radieux. Plus aucune trace d'amertume. Ils ont participé avec entrain à une soirée communautaire. Tous deux ont chanté des chansons du Québec. Le climat était formidable, très chaleureux. De toute évidence, il s'était passé quelque chose entre les deux. Amour... humour...

Mlle Bernadette Larochelle, institutrice, avec quelques-uns de ses élèves de troisième année «forte», dont le jeune Henri Ménard. La photo est prise à East-Broughton en 1927.

Henri Ménard, à gauche, et
un confrère d'études à la sortie
du séminaire du Sacré-Cœur,
à Saint-Victor de Beauce (1934).

M. Hector Durand, le père Eusèbe
Ménard et M. J.-P. Laberge
lors de la construction
du séminaire des Saints-Apôtres.

Bénédiction de la pierre angulaire du futur collège Saint-Jean-Vianney
en septembre 1955. De gauche à droite: le père Gommaire Van den Broeck,
M. Hector Durand, le cardinal Paul-Émile Léger, le père Eusèbe Ménard
et M. P. Dufour.

Le père Ménard rencontre une *équipe* du collège Saint-Jean-Vianney en 1960.
Le chef d'équipe, André Franche, est assis au centre.

Le cardinal Léger et le père Ménard après leur rencontre à Nsimalen,
Cameroun. Le père Pierre-Julien Bouchard les accompagne.

Le père Ménard visite ses amis,
les pauvres, à Ricardo Palma au Pérou.

Le père Ménard console
une patiente du Hogar San Pedro.

Visite au séminaire des Saints-Apôtres de Santafé de Bogota:
à la droite du père Ménard nous voyons le père Marc Lussier.

Deux fidèles collaborateurs du père Eusèbe au Pérou :
Mme Aliette D'Arcy et M. Philippe Imbeau.

Cérémonie de la remise des nouvelles constitutions de la Société
des Saints-Apôtres à Montréal en 1982 : à gauche du père Ménard,
le père Rémi Couture et, à droite, le père Yvon Archambault.

Sœur Marie (Laurette Toupin), co-fondatrice des Sœurs des Saints-Apôtres.

Le père Ménard présente ses projets au pape Jean-Paul II.

Père Yvon Archambault, animateur général
des Missionnaires des Saints-Apôtres.

J'admire surtout le premier saint que Jésus a canonisé: le bon larron. C'est bien ce que nous sommes tous: des larrons. C'est bien ce que je suis.

Jésus, je te remercie et je veux te remercier à chaque instant de ma vie et pendant toute l'éternité parce que tu nous aimes d'un amour gratuit, un amour sans condition, un amour qui s'adresse à tous indistinctement, un amour qui nous aime sans mérites et sans vertus. Nous sommes si pauvres que nous ne pouvons t'aimer qu'avec l'amour que tu nous a appris et donné.

Le chrétien se définit non pas tellement comme quelqu'un qui aime Dieu que comme quelqu'un qui croit que Dieu l'aime. [...] Voilà la profession de foi qui m'est demandée tout au long de ma vie et à l'heure de ma mort. Je ne m'appuie nullement sur ma valeur. Sur ce que d'autres appellent parfois des exploits. Sur mes efforts... J'entrerai au ciel comme un pauvre, un mendiant, parce que je crois être assez aimé pour être accueilli. Seigneur Jésus, je suis ébloui, même renversé par votre amour si généreux et si imprévisible.

Extrait de *Mon testament*, 18 mai 1982,
dans l'avion Bogota-New York

4

Humaniser et évangéliser

Tous ceux qui ont connu de près le père Eusèbe l'ont perçu comme une vraie force de la nature : quelqu'un d'increvable. Au physique comme au moral. Il s'entraînait régulièrement aux poids et haltères. Il levait facilement cent kilos. Il pouvait dormir sur la banquette arrière d'une voiture depuis Montréal jusqu'à Washington, de nuit, célébrer sa messe à son arrivée et prononcer une brillante conférence tout de suite après. Après la tutelle et l'exil, bien d'autres auraient été terrassés. Ou, à tout le moins, désabusés. Avec lui, les choses se passent autrement. On lui a enlevé son œuvre ? Il va la refonder, et voilà.

En effet, moins de deux mois plus tard, soit le 15 août 1962, à Santa Clotilde, au Pérou, Mgr Damase Laberge, franciscain, donne son approbation à une nouvelle famille spirituelle : la Société des Missionnaires des Saints-Apôtres (M.Ss.A.). C'est ce qui s'appelle retomber sur ses pieds ! Encore deux autres mois et le père Eusèbe déniche à Washington une maison qui deviendra la résidence des Missionnaires des Saints-Apôtres, pendant leur stage d'études à l'université catholique de la capitale américaine (Queen of the Universe Scholasticate). Supérieur général de la nouvelle société, le père Eusèbe résidera dans cette maison jusqu'en 1967, année où il s'établira pour de bon au Pérou.

En janvier 1964, il fonde un premier séminaire pour vocations d'adultes au Pérou : Seminario de los Santos Apostoles, à Ricardo Palma, à environ 40 km de Lima. Ricardo Palma deviendra le cœur de l'œuvre du père Eusèbe en Amérique latine. L'endroit lui avait été recommandé en 1962 par Mgr Laberge : des terrains marécageux et quelques maisonnettes abandonnées depuis la mort de l'ancien propriétaire, un général péruvien. Vivement les salopettes pour tous les missionnaires, prêtres comme laïcs, et ces lieux inhospitaliers deviendront l'Oasis des Missionnaires des Saints-Apôtres. Bâti sur des terres facilement inondées, le séminaire est détruit par l'eau et la boue en 1972. Le père Eusèbe rend grâce à l'avance pour le nouveau séminaire que la Providence leur donnera… Il le dénichera, ce nouveau séminaire, à Chacrasana, tout près de Lima : le Centre national de vocations sacerdotales. C'est un ancien bâtiment édifié par des missionnaires allemands et qui se trouvait vacant depuis peu… Est-on bien dans le domaine du hasard?

Lorsque Pat di Stasio s'y est rendu, en 1980, le séminaire était dirigé par le père Maximo, un ex-frère franciscain ordonné prêtre à 50 ans. Il a été le premier prêtre péruvien à entrer dans la famille des M.Ss.A. Son adjoint, Isaac Martinez, a rencontré le père Eusèbe dans son village de Huarochiri, vers l'âge de 14 ans : il n'a pu résister à l'attrait... En mettant les pieds dans ce nouveau séminaire, Pat di Stasio a l'impression de se retrouver à Saint-Pascal-Baylon : une vingtaine de séminaristes voient eux-mêmes à l'entretien de la maison, font les travaux de rénovation, entretiennent un potager et élèvent des poules. La mystique des salopettes, quoi !

Le père Eusèbe fonde un autre séminaire en 1966, à Bogota, à flanc de montagne. D'un côté, les buildings qui poussent comme des champignons. De l'autre, des *barriadas* (bidonvilles) aux conditions de vie inhumaines. Ce site convient tout à fait au fondateur. Il se trouve à la frontière de deux mondes à rapprocher, puisque riches et pauvres sont enfants du même Père. L'année précédente, les M.Ss.A. avaient accepté la responsabilité d'une paroisse à Campinas, au Brésil. En 1977, ils en assumeront une autre au Pérou, à Ricardo Palma, là où se trouve le premier séminaire. Les missions pastorales se poursuivront au fil des ans dans ces trois pays, de même qu'au Venezuela et aux États-Unis.

Multiplier les pains...

Transplanté en Amérique latine, le père Eusèbe découvre la misère et renoue avec les ardeurs missionnaires de sa petite enfance. Bien sûr, il ne s'agit plus de baptiser en série, un peu comme il « achetait » jadis des petits Chinois. Il faut d'abord élever les conditions de vie des gens à un niveau humain avant d'oser leur parler de Bonne Nouvelle.

« Il est difficile de se présenter avec l'Évangile en Amérique latine, confie-t-il peu après son arrivée dans les contreforts des Andes péruviennes. Il faut se présenter avec la croix d'une main et un morceau de pain de l'autre.» On l'a vu, le père Eusèbe est tout à fait convaincu que la richesse des riches *appartient aux pauvres.* Dans sa nouvelle terre de mission, la tâche est énorme. «Les riches du Pérou, constate-t-il, vivent dans un monde spécial. On dirait qu'ils ignorent les souffrances de leurs frères. Car au Pérou, il y a au maximum une personne sur cinq qui vit une vie humaine...» Sur ce point, le don du père Eusèbe fera des merveilles: éveiller les esprits, délier les cœurs comme les bourses. Il faut donc *humaniser* et *évangéliser.* Cela deviendra la devise de sa nouvelle société missionnaire.

En 1980, au cours d'entretiens avec Raymond Laplante, à l'émission *Dialogues* de Radio-Canada, le père Eusèbe s'est expliqué sur cette double démarche. Il faut d'abord voir la réalité telle qu'elle est: juger, étudier, demander conseil aux gens du pays. Il faut ensuite passer à l'action avec une foi aveugle dans la Providence: Il sait ce dont ses enfants ont besoin... C'est bien simple, fait valoir le père Eusèbe: «Il faut faire comme le Seigneur Jésus. Lorsque ceux qui le suivaient en grand nombre ont eu faim, Jésus a multiplié les pains».

«Il ne s'agit pas de faire tout le travail soi-même, précise-t-il, mais d'inspirer des apôtres: prêtres ou laïcs. Il s'agit d'être comme un pont vivant de charité entre ceux qui ont et ceux qui n'ont pas.» En somme, être la voix des sans-voix, les bras des manchots, les yeux des aveugles...

Même si l'humanisation est préalable à l'évangélisation, les deux sont étroitement liées. Ainsi, souligne le père Eusèbe, les apôtres collaborateurs qui s'engagent au service des pauvres le font, dans bien des cas, après avoir été interpellés par la Parole de Dieu à l'occasion d'une retraite… C'est le cas de professionnels péruviens, avocats et médecins, qui travaillent avec les M.Ss.A., prêtres, frères et sœurs.

Lorsque le journaliste tente d'engager le père Eusèbe sur le sentier de la théologie de la libération, en référence à « la violence du pouvoir contre les pauvres », ce dernier se montre réticent. « Il s'agit d'aimer, répond-il. D'aimer les pauvres. D'aimer les riches. Le Seigneur est venu pour aimer tout le monde. Il s'agit parfois d'excuser l'attitude des riches. Souvent ils n'ont pas vu la Parole de Dieu qui leur a été communiquée. Il ne faut pas oublier aussi que le fait de posséder de grands biens peut rendre aveugle. Il s'agit de faire voir, non par des moyens violents mais par le témoignage d'une vie complètement engagée. J'ai beaucoup confiance en la Parole de Dieu : elle a une puissance extraordinaire que nous, prêtres, n'utilisons pas suffisamment ». On notera que la Parole de Dieu, pour le père Eusèbe, est une réalité tellement évidente qu'on peut *la voir*…

Dans un document publié en 1986, à l'occasion du 40ᵉ anniversaire de la fondation de l'Œuvre des Saints-Apôtres, les M.Ss.A., fidèles à l'esprit du fondateur, se définissent comme suit : « Les Missionnaires des Saints-Apôtres, ce sont des prêtres et des laïcs qui, forts de leur union dans le Corps mystique du Christ, se consacrent à la formation et à la promotion de chefs spirituels (prêtres et laïcs) destinés à travailler, en particulier, dans les coins les plus pauvres de l'Amérique latine. Ils poursuivent leur idéal tout en animant des maisons de prières et en se consacrant au travail pastoral dans les paroisses les plus nécessiteuses ».

Hogar San Pedro

Dans leurs activités pastorales, le père Eusèbe et ses collaborateurs, religieux et laïques, sont confrontés quotidiennement à une misère sans nom. Avec des hommes d'affaires et des avocats qui ont été atteints par la Parole de Dieu, à l'occasion d'une retraite à l'Oasis de Ricardo Palma, le père Eusèbe multiplie les pressions auprès des instances gouvernementales pour améliorer le sort des pauvres, souvent illettrés, victimes d'une exploitation scandaleuse. Ils essaient d'obtenir pour eux un minimum de services : de l'eau potable, des écoles, des routes convenables…

Mais il faut bien s'occuper également des urgences qui se présentent tous les jours à l'Oasis. En 1974, le père Eusèbe a déniché un terrain et quelques bâtiments abandonnés, à quelques minutes de marche de l'Oasis. Grâce à la Fondation Père-Eusèbe-Ménard et à l'Institut Roncalli, fondation caritative américaine, il a acheté le site pour la somme de 5000 $. Cinq ans plus tard, il y établira un centre d'accueil pour « les plus pauvres parmi les pauvres », selon l'expression de mère Teresa qu'il a fait sienne. C'est le Hogar San Pedro.

En 1980, Pat di Stasio, responsable du bulletin d'information de l'œuvre, *La Obra*, s'est rendu sur les chantiers latino-américains de l'œuvre. Sur le thème *Au Pérou, j'ai vu…* il a tracé un portrait très vivant de ce centre de dépannage. Il était alors membre du conseil d'administration de la Fondation. Succédant à M. Édouard Deslauriers, il en deviendra le président en 1985. À ce titre, c'est tout de même un peu lui qui est appelé à « multiplier les pains ».

Pat di Stasio voit des femmes et des enfants faire plusieurs kilomètres pour se procurer de l'eau au Hogar San Pedro. Dans les régions qu'ils habitent, l'eau est distribuée chichement par camion citerne, une ou deux fois par semaine...

Il voit des jeunes et des adultes fouiller dans les déchets accumulés en bordure de la route, à la recherche de quelque chose qui puisse servir ou qu'on pourrait revendre. À moins que ce ne soit quelque chose à manger...

Sur la route de Lima, il voit des enfants qui n'ont pour terrain de jeu qu'un espace d'environ trois mètres entre la cabane qui leur tient lieu de maison, la route achalandée qui passe devant et la voie ferrée derrière...

Mais il voit aussi le père Eusèbe, ses collaborateurs et ses collaboratrices distribuer des petits-déjeuners, à six heures du matin, à l'Oasis et dans sept centres voisins. Pour plusieurs de ces pauvres, ce sera le seul repas de la journée... Il voit des religieuses au cœur d'or donner des cours de cuisine, de couture, de puériculture, d'hygiène et de religion à des mères venues à pied, souvent avec leur enfant sur le dos...

Il voit André Franche, missionnaire laïque, voyager pendant huit heures sur des routes quasi impraticables pour s'occuper de divers projets humanitaires : écoles techniques, puits, réservoirs d'eau. Il est marié et père de quatre enfants. Son épouse, Céline, infirmière, travaille à l'hôpital de la bienfaisance publique de Bogota, l'Hospital San Juan de Dios. Elle est affectée à l'urgence du département des grands brûlés. André Franche a été de la première cuvée de Saint-Jean-Vianney. À la fin de ses études de théologie, il a décidé de ne pas poursuivre jusqu'au sacerdoce. Il a consacré 17 ans de sa vie à des fonctions administratives au Pérou et en Colombie, et occupe le poste de directeur général de la Fondation Père-Eusèbe-Ménard depuis 1981. En évoquant aujourd'hui ces années où il a eu le privilège de côtoyer le père Eusèbe, André Franche confie: «Le père Eusèbe était un visionnaire. À son contact, on se sentait sans cesse poussé vers de nouveaux défis… En somme, ce qui m'a frappé chez lui, c'est sa vision. Son envergure d'esprit. La confiance qu'il nous faisait et qui nous motivait: nous emballait. Il était pourtant très exigeant. À cette époque, la collaboration prêtres/laïcs était un concept nouveau. On parlerait aujourd'hui de partenariat. Le "Père" ne se satisfaisait jamais de résultats médiocres…»

Pat di Stasio voit aussi sœur Elegia travailler jour et nuit auprès de sa famille bien particulière: quadraplégiques, épileptiques, tuberculeux, invalides de toutes sortes. Elle n'hésite pas à faire quatre heures de route dans un autobus bondé pour aller chercher des médicaments à Lima.

Il voit le père Eduardo, ex-chanteur, s'occuper de quelque 10 000 paroissiens dans plusieurs dessertes. On a apporté au missionnaire un nouveau-né abandonné. Il l'a baptisé Christophe. Il place son berceau près de l'autel pendant l'Eucharistie: le nombre de fidèles a beaucoup augmenté…

Il voit Omar, infirmier et père de famille qui consacre bénévolement soirées et week-ends au Hogar San Pedro... Profondément touché par tout ce qu'il a vu, di Stasio conclut : «À travers tant de souffrances et de misères, on aperçoit le Christ. Devant tant de générosité et d'amour, on reconnaît le Christ.»

En 1982, le père Eusèbe accepte la vice-présidence d'un centre d'accueil pour les enfants de la rue : *la Ciudad de los Niños* (la Cité des enfants). À sa retraite comme supérieur général, trois ans plus tard, il en deviendra le président. Fondée trente ans plus tôt par un capucin, le père Illuminato Riva Ligure, l'œuvre menaçait de s'éteindre à la mort de son fondateur. Le père Eusèbe ne pouvait rencontrer un enfant sans s'attendrir. À Lima, il se rendait souvent dans les parcs pour regarder, écouter et aider les enfants de la rue. Il était absolument outré par la situation des enfants du tiers-monde. Dans les années 1980 (la situation a continué de se détériorer), le tiers-monde comptait 78 pour cent des enfants du monde. Quatre millions d'enfants mouraient alors quotidiennement. En Amérique latine, 12 millions d'enfants souffraient des effets de la sous-alimentation. Sollicité pour une telle cause, il n'allait certes pas résister...

Les voies insondables

Dans les documents d'archives de l'Œuvre des Saints-Apôtres, on est très discret sur la tutelle et sur l'exil du fondateur. On parle d'événements *providentiels* qui ont permis à l'œuvre d'essaimer aux États-Unis, en Amérique latine et en Afrique. Il fallait une foi très vive et un amour brûlant pour pressentir dans ce calvaire une prochaine résurrection. C'est bien ainsi que le père Eusèbe l'a vécu.

Dès son arrivée à Rome, le 26 juin 1962, il écrit une lettre à l'ensemble de ses enfants du Québec. Il signe : *Votre Père.* « C'est le premier salut que vous recevez de moi pendant cet exil providentiel. La loi que Jésus nous a donnée dans son Évangile doit s'appliquer : *Le grain de blé doit mourir pour porter du fruit.* Toute mort apparaît comme une grande surprise ; nous n'en connaissons ni le jour, ni l'heure. Acceptée par amour pour Jésus et l'Église, la mort produit la vie. »

Un autre passage de cette lettre atteint au sublime : « Je remercie le Seigneur Jésus et sa Très Sainte Mère de n'avoir pas permis que la moindre révolte, et même la moindre aigreur, entre dans mon cœur meurtri. Comme je voudrais dire aux instruments providentiels qui frappent, toute mon affection, mon désir de servir ! Je ne suppose aucune mauvaise intention chez qui que ce soit, et *c'est avec beaucoup de respect que je veux baiser la main qui blesse*[1]. Nous méritons tellement ces souffrances que le Seigneur permet, parce que nous sommes pécheurs… Jésus pousse la confiance jusqu'à nous associer un peu à ses douleurs, accomplissant dans notre chair *ce qui manque à sa Passion.* » En terminant cette lettre pathétique, le Père s'excuse des erreurs qu'il a pu commettre : « J'aurais voulu être plus dévoué pour vous, mais je crois que je n'aurais pas pu vous aimer davantage. »

Près de 40 ans plus tard, le caractère providentiel de cet exil saute aux yeux. Un simple coup d'œil sur le

---

1. Notre italique.

prospectus de l'œuvre publié en 1987, peu après la mort du fondateur, montre que les chantiers apostoliques du Québec se sont fermés les uns après les autres. Hâtives ou tardives, les vocations sacerdotales sont rarissimes. Les maisons de retraites fermées n'ont certes pas la cote. Dans le Québec de l'après-révolution tranquille, l'œuvre se résume à quatre chantiers : le Centre marial Marie-Reine-des-Cœurs, de Chertsey ; la Fraternité Saint-Jacques, à Montréal, centre d'accompagnement vocationnel pour jeunes et pour adultes ; la Corporation, qui administre les biens de l'œuvre, et la Fondation Père-Eusèbe-Ménard dont la mission principale est de venir en aide aux œuvres humanitaires et sacerdotales des M.Ss.A. dans le tiers-monde. Même le navire amiral de l'Œuvre, le collège Saint-Jean-Vianney est devenu une école secondaire.

C'est dire que l'œuvre à laquelle le père Ménard a voué toute sa vie se serait atrophiée si elle n'avait essaimé à l'étranger. Pendant que la deuxième famille spirituelle (prêtres, frères, sœurs et laïcs) multipliait les chantiers pastoraux en Amérique latine, tout en poursuivant son action aux États-Unis (Cromwell et Washington), la première famille, celle dont le fondateur a été exilé, fondait un séminaire destiné aux vocations d'adultes au Cameroun, et acceptait la direction de deux autres séminaires, l'un au Cameroun et l'autre en République centrafricaine. De plus, la Société possède un noviciat à Otélé, une résidence pour étudiants en théologie et en philosophie à Yaoundé, et elle assume la responsabilité de la paroisse d'Omvan. Cette mission comprend 50 villages égrenés sur un territoire de quelque 30 km de longueur. La population totale de ces villages est de 15 000 habitants dont 90 % sont catholiques.

Arrêter un bulldozer!

Au printemps 1985, le père Eusèbe vit depuis quarante ans à la limite de lui-même. Tenaillé par une soif de Dieu inextinguible, il a cherché sans cesse à ficher Sa Parole au cœur des hommes comme au cœur du monde. Il a connu des heures exaltantes et, aussi, bien des nuits au Jardin des Oliviers. Cet homme n'avait presque jamais été malade. En 1982 ou 1983, il avait reçu des injections contre la grippe, dans un dispensaire de Lima. Au cours des dernières années, il avait aussi reçu des traitements dentaires dans une clinique péruvienne. Rien d'autre. Son corps, si robuste, lui envoie maintenant des signaux inquiétants. Il se dit qu'il lui faudrait bien obtenir un bon bilan de santé dans un hôpital montréalais. Il remet toujours : après le démarrage de tel projet, après tel voyage…

Outre son état de santé s'ajoute le fait que le « Père » se fait de plus en plus brouillon en vieillissant. On s'en souviendra : c'est ce trait de caractère qui lui attirait le reproche de ne pas s'occuper suffisamment des enfants qu'il mettait au monde, au début de sa carrière. Au Québec, le fondateur avait pu recruter des personnes compétentes et scrupuleusement honnêtes pour prendre en main la Corporation de l'œuvre des Saints-Apôtres. Sans cela, souligne Marcel Robidas qui fut recruté en 1957 et s'y dévoua pendant 25 ans, l'œuvre se serait embourbée dans des problèmes financiers insolubles : « Le père Eusèbe faisait confiance à tout le monde et se faisait souvent rouler!… »

Son successeur à la tête de la famille M.Ss.A., le père Marc Lussier, tient le même langage : « Le Père n'était pas organisé. Il commençait un tas de choses sans s'assurer qu'il aurait les personnes pour continuer l'œuvre. Il faisait confiance à tout le monde et se faisait voler!...»

De passage à la maison générale des M.Ss.A., à Montréal, le père Lussier évoque avec beaucoup de tendresse ses années de collaboration étroite avec le père Eusèbe, dans une entrevue qu'il m'accordait en vue de cet ouvrage. Originaire de Longueuil, il a étudié au séminaire des Saints-Apôtres, à Laprairie. Il y a connu le père Eusèbe et il est resté profondément marqué par son charisme. En quittant Rome, après avoir encaissé et surmonté les épreuves de la tutelle et de l'exil, le père Eusèbe est allé fonder une maison d'étudiants à Washington, encouragé par le ministre général des franciscains. Marc Lussier l'a assisté dans cette entreprise et l'a suivi au Pérou.

En février 1985, le père Eusèbe a accompagné Jean-Paul II pendant une visite d'une semaine au Pérou, jusque dans la jungle amazonienne. Au retour, sa santé est vraiment chancelante. Il fait état de sa volonté de prendre sa retraite l'été suivant, en juillet, à l'occasion de l'assemblée générale de la Société. Chose mystérieuse: à mesure que la date fatidique approche, il semble que le fondateur retrouve sa forme! Le père Lussier pose très bien le diagnostic: «Allez donc arrêter un bulldozer!» Certains de ses collègues proposent carrément de lui indiquer la porte de sortie. Il a fallu lui forcer quelque peu la main...

«Il s'est senti écarté. Il est bien possible qu'il ait vécu du rejet», note le père Lussier avec nostalgie. L'assemblée générale a eu lieu à l'Oasis, rebaptisé Villa La Paz. Le père Lussier a été élu animateur général. Le fondateur devenait directeur spirituel à vie...

Même dans cette fonction honorifique, comment l'empêcher de diriger encore l'œuvre par-dessus l'épaule de son successeur? «J'étais dans une situation délicate: quelle autorité pouvais-je avoir sur lui?» fait valoir le père Lussier. À titre d'exemple, il fait état d'un conflit qui l'a opposé durement au fondateur concernant la fondation péruvienne de l'œuvre. S'étant rendu compte qu'il y avait des profiteurs dans l'entourage du père Eusèbe — l'administration de la fondation péruvienne manquait de rigueur —, le père Lussier s'est attaqué résolument à ce problème délicat. Il a fini par ramener les fonctions administratives dans les mains des M.Ss.A. Cela allait à l'encontre d'un principe sacré pour le fondateur: confier la gestion à des collaborateurs laïques pour dégager les prêtres en vue du ministère. C'était même une des caractéristiques originales de toute l'Œuvre des Saints-Apôtres. Dans *Règle de vie*, document de réflexion qu'il a laissé à ses fils et à ses filles spirituels, le père Eusèbe évoque le temps où l'intuition de cette œuvre a germé dans son esprit. «Malgré le peu de garanties, écrit-il, j'avais la ferme conviction que cette œuvre irait de l'avant, à condition que je sois fidèle d'une part à ma fonction sacerdotale, et que M. Durand et ses associés, d'autre part, soient les responsables de tout l'aspect économique du projet». Malheureusement, dans le contexte péruvien d'alors, soutient le père Lussier, c'était devenu impossible. Le père Eusèbe, lui, n'en démordait pas. «Il était impossible de le faire dévier quand il s'était donné un objectif!» se rappelle le père Lussier. Difficile de contester le «Père»! Non moins difficile de lâcher prise quand on a été toute sa vie en position de décideur... Le dilemme s'est résolu par la détérioration de l'état de santé du père Eusèbe. À l'automne 1986, il a pris l'avion pour aller se faire traiter à l'Hôtel-Dieu de Montréal...

Seigneur, j'accepte ma mort et je veux qu'elle soit une prière.

Je crois, Seigneur Jésus, en la vie éternelle. Je veux que ma mort soit un acte de foi en votre puissance qui me brise pour me ressusciter, en votre miséricorde qui m'accable pour me vivifier, en votre extrême bonté qui m'enlève tout pour me combler.

J'accepte ma mort pour vous remercier de vos bienfaits, car je n'ai rien qui ne me vienne de votre bonté. Vous pouvez tout reprendre, mon Dieu, à l'heure qu'il vous plaira et comme vous voudrez. Je veux que ma mort vous dise merci et proclame que je dépends entièrement de vous.

J'accepte ma mort. Que mon dernier soupir soit un acte d'amour! Je veux, à ma mort, tout remettre entre vos mains. En union avec vous, Jésus, Marie, ma mère, les saints apôtres, mes patrons, François d'Assise, mon frère, tous les saints et tous ceux qui sont morts, qui meurent, qui mourront, je veux, à ma mort, vous faire par pur amour le sacrifice généreux de ma vie: mon rédempteur est vivant!

Extrait de *Mon testament*, 23 novembre 1979

5

La joie parfaite

L E PÈRE EUSÈBE brûlait de la flamme intérieure de
François d'Assise et il était animé de la fougue missionnaire de Paul de Tarse. Comme François, il s'était
engagé à «imiter la vie de Jésus dans ses paroles et dans
ses gestes». Comme Paul, il pouvait dire: «Ce n'est plus
moi qui vis, c'est Christ qui vit en moi!»

Il n'est pas facile de cerner le charisme propre de cet
apôtre aux audaces prophétiques. À un ami qui l'a connu
au séminaire des Saints-Apôtres de Laprairie, comme
étudiant, j'ai demandé quelle image il en avait retenue.
Cet ami a fait un stage de six mois au noviciat des franciscains, puis il a vécu une quarantaine d'années loin de
toute pratique religieuse. Sa réponse a pourtant été spon-
tanée: «Le père Eusèbe? Lui, c'était un vrai franciscain!»

C'est vraiment le trait dominant de son profil spirituel: *un vrai fils de François*. Il est même probable qu'il
n'aurait pas songé à fonder une nouvelle famille spirituelle pour susciter des vocations d'adultes et les mener à
maturité si l'Ordre des franciscains avait adopté son

projet, plutôt que de l'autoriser tout bonnement à suivre son intuition.

Comme le *Poverello*, le père Eusèbe vouait un amour sans borne à Dame Pauvreté. Pour lui, comme pour François d'Assise qui en avait fait une mystique d'identification au Christ, la pauvreté dépasse de beaucoup le simple fait de ne pas posséder de biens en propre. Soulignant qu'il s'agit d'un problème « épineux » dans l'histoire de l'Église, il affirme sans détours : « Aujourd'hui, nous ne pouvons pas concevoir de communautés formées par des personnes qui vivent personnellement dans la pauvreté pour enrichir leurs propres institutions ; ceci serait une trahison envers l'Évangile et envers l'essence même de la vie consacrée[1]. »

Foi et humilité

L'esprit de pauvreté, c'est une attitude de foi et d'humilité. Attitude de foi, puisqu'il consiste à avoir une confiance totale au Père qui connaît nos besoins. « Dans la pauvreté, explique le père Eusèbe, la première démarche consiste non pas à se détacher, mais à s'attacher. C'est parce qu'on veut adhérer au Seigneur que l'on abandonne tout le reste. L'adhésion est visée avant le dépouillement, et plus que lui. Elle est faite d'un mouvement de foi. »

Ainsi comprise et vécue, la pauvreté est une forme intégrale d'amour. Une dépendance volontaire à l'égard

---

1. *Message du fondateur*, octobre 1986. Document de réflexion écrit par le père Eusèbe à l'occasion du 40ᵉ anniversaire de l'Œuvre des Saints-Apôtres.

de Dieu. Elle est aussi humilité, puisqu'elle conduit à la désappropriation de soi. D'un point de vue étroit, cette dernière n'est pas incluse dans la promesse de pauvreté imposée par la vie consacrée. Mais si on dépasse le cadre juridique pour rejoindre les attitudes profondes, souligne le père Eusèbe, on découvre que la pauvreté spirituelle enracine le conseil évangélique. «Reconnaître son dénuement intérieur et l'accepter comme un état qui oblige à reporter toute sa confiance dans le Seigneur, c'est affirmer la disposition de foi qui anime le détachement à l'égard des biens terrestres, l'approfondir dans son aspect le plus essentiel.»

À celui ou celle qui s'engage dans cette voie, le père fait une mise en garde : «Il est plus difficile de se quitter que de quitter les choses… Le chrétien est tenté de se faire une image idéale de lui-même. En admettant ses impuissances et ses déficiences, il consentira à la pauvreté la plus foncière, celle où le moi se dépouille de lui-même.» Le dépouillement de soi ne mène pas toutefois à la mésestime, au mépris de soi. Il débouche sur une confiance totale en un Père aimant. «Si l'esprit de pauvreté n'aboutissait pas au resserrement des liens filiaux avec le Père et ne se traduisait pas par une foi plus ferme en la Providence, il manquerait sa signification la plus foncière», précise le père Eusèbe.

Ainsi donc, la confiance totale en la Providence, qui pouvait sembler parfois témérité chez lui, puisait sa source dans l'esprit de pauvreté. S'appuyant sur l'Évangile et sur l'enseignement de Vatican II[2], il écrit : «Bien que le

---

2. *Perfectæ caritatis*, 13.

Christ n'ait pas eu la foi, à proprement parler, en raison
de sa conscience d'être le Fils de Dieu, il a réalisé pleinement des attitudes qui caractérisent notre foi, notamment
l'abandon au Père. S'il n'a pas voulu avoir de pierre où
reposer la tête, et s'il a parcouru les chemins de Judée et
de Galilée sans rien emporter avec lui, c'est qu'il voulait
attendre toutes choses des mains du Père céleste. On
aurait tort de voir dans ce dépouillement un simple
exemple. Rejeter toute possession de biens, c'était pour le
Christ un comportement essentiellement filial, qui
répondait à l'orientation la plus profonde de son être; il
voulait s'en remettre sans réserve à la sollicitude du Père
pour les moindres détails de l'existence.» C'est aussi ce
que le père Eusèbe recommande à ses fils et à ses filles.

Une ouverture d'esprit

De manière exemplaire, le père Eusèbe a été fidèle à son
engagement: imiter la vie de Jésus. Le père Yves Bégin,
supérieur général de la Société des Saints-Apôtres de 1992
à 1995, juste avant l'union des deux familles missionnaires, parle quant à lui avec vénération de «l'audace
apostolique» du fondateur, dans une causerie qu'il pro-
nonce en 1997, au souper annuel de la Fondation. Cette
audace prophétique était le fait d'un préjugé favorable
pour les exclus de tous les systèmes: civils et religieux. «Le
Père, dit-il, portait en lui une vision évangélique et franciscaine de la vie de l'Église et de sa mission, à savoir: aller
vers les plus pauvres, les exclus sous toutes leurs formes.»
     Se vouer à la cause des vocations dites tardives, dans
les années 1940, c'était aller vers des personnes dont les

aspirations ne cadraient pas avec les normes ecclésiastiques, du moins au Québec. Passe encore de donner des
cours de rattrapage en latin et en grec. Mais vouloir faire
un prêtre avec un boucher ou un commis de bureau, cela
heurtait des préjugés tenaces dans la caste sacerdotale. De
plus, avoir la prétention de faire œuvre d'Église avec un
laïc comme «cofondateur» et attribuer la propriété des
biens, de même que leur gestion, à une société civile, cela
dépassait les bornes! On voit pourtant poindre là, dès les
débuts de l'œuvre, les deux principales caractéristiques du
charisme du père Eusèbe: *sensibilité pour les vocations
d'adultes* et *partenariat avec les laïcs*.

Sur ce dernier point, le père Bégin se montre cri-
tique. Il constate que le charisme de l'Œuvre des Saints-
Apôtres, qui se veut celui du «Père», est souvent
«ankylosé par un manque d'audace et de vision de
l'Église d'aujourd'hui». Il affirme sans ambages: «Nous
nous vantons souvent que le père avait été prophète dans
son interpellation des laïcs dans la fondation de l'Œuvre
des Saints-Apôtres. Je crois que nous sommes encore à
nous réjouir du passé, nous avons reculé face à l'intuition
dynamique du Père.» Il rappelle que le père Eusèbe a
appelé Hector Durand à travailler *avec* lui, et non *pour*
lui: «L'intuition du Père, c'est que prêtres et laïcs travaillent ensemble.»

Solidarité par le travail

Membre d'un ordre religieux dit «mendiant», le père
Eusèbe désire toutefois que les membres de l'Œuvre des
Saints-Apôtres vivent la pauvreté dans le travail, et non

dans la mendicité. « La confiance en la Providence ne pourrait entraîner une démission de la responsabilité humaine, soutient-il. Tout en demandant au Père céleste le pain de chaque jour, les hommes ne sont pas dispensés de travailler pour assurer leur nourriture et leur entretien. [...] L'obligation de travailler est en effet une manifestation de la pauvreté : ce sont ceux qui sont le plus démunis de biens qui éprouvent le plus vivement la nécessité du travail. Il semble plus conforme à la pauvreté et à la charité de chercher dans son propre travail des moyens de subsistance plutôt que de les attendre du travail ou de la richesse d'autrui. Le travail atteste une solidarité avec les pauvres, alors que la mendicité comportait le danger de susciter une certaine solidarité avec les riches. »

Dans un monde piégé par le matérialisme et la surconsommation, l'engagement à la pauvreté doit être vécu dans toute son authenticité pour révéler la foi où il prend sa source. « Il faudrait, précise le père, qu'elle soit un signe qui étonne ceux qui, spontanément et naturellement, regardent l'argent et la richesse comme des biens à l'attrait desquels on ne résiste pas. »

Le père Eusèbe termine ces considérations sur la pauvreté par une très belle prière :

> *Seigneur,*
> *De riche que tu étais, tu t'es fait pauvre pour nous,*
> *afin de nous enrichir de la pauvreté.*
> *Renouvelle en nous la volonté*
> *de nous dépouiller comme toi,*
> *afin d'enrichir l'Église et le monde*
> *de notre pauvreté.*

Crée en nous un esprit de pauvre,
détaché de tous les biens terrestres.
Rends-nous de plus en plus heureux de te posséder
comme unique richesse.
Inspire-nous un abandon total à la Providence.
Apprends-nous à accueillir
généreusement et sans plainte les privations.
Aide-nous davantage encore
à accepter notre pauvreté spirituelle:
la misère profonde de notre âme.
Fais-nous vivre dès maintenant
dans l'état où un jour
nous nous présenterons
à toi,
sans aucune possession de ce monde,
et le regard fixé sur le trésor
que tu nous ouvriras au ciel.

Le secret du «Père»

Dans le document cité plus haut, le père Eusèbe définit en quatre points le charisme de sa famille spirituelle.

- Promouvoir les vocations sacerdotales, particulièrement les vocations d'adultes, et de tous ceux qui veulent vivre les exigences de leur baptême.
- Donner la parole de Dieu, à temps et à contretemps, surtout en établissant et en dirigeant des maisons de prière (maisons de retraite).
- Se dévouer auprès des pauvres, des abandonnés. Leur nombre va toujours aller en augmentant dans le monde.

- Vivre profondément, et avec toutes ses conséquences, la très riche spiritualité du Corps mystique du Christ Jésus.

En léguant cette règle de vie, le « Père » se trouve à définir son propre charisme. Entre le fondateur et son œuvre, l'identité est parfaite. En effet, toute sa vie tient dans cette quadruple mission. Convaincu d'être un instrument bien imparfait entre les mains du Père, il s'est consacré à sa mission jusqu'à la limite de ses forces, tout en s'estimant un « serviteur inutile ». Il a fait preuve d'une énergie qui médusait — et essoufflait ! — tous ses collaborateurs.

Le père Bégin décrit ainsi cette formidable énergie : « Toute la vie du Père a été une suite d'adaptations, de recherches, de mises à jour de ce qui l'animait, afin de répondre aux questionnements du moment. Il a toujours suivi une source souterraine qu'il puisait dans tout son être d'amour, de volonté et de très grande sensibilité. »

On peut sans risque de se tromper affirmer que cette source souterraine était en fait une source intérieure : la prière du Christ en lui. Tous ceux qui ont vécu dans son intimité témoignent du fait qu'il a été un grand priant. Très souvent, il passait une partie de la nuit en prière. « L'homme du Royaume intérieur », dit le père Lussier.

Il est là, le secret du « Père ». Il en donne lui-même la clé dans le document de réflexion cité plus haut. Prier, y écrit-il, ce n'est pas tant « fabriquer une prière » que de rejoindre en soi une prière toute faite, vivante : celle du Christ. « À l'oraison, conseille-t-il, ravive donc ta foi en cette présence du Christ au fond de toi. […] Entreprends de débroussailler tout ce foisonnement intérieur de désirs, de sentiments, d'idées, de passions afin de libérer la prière du Christ qui t'habite. [...] Livre-toi à cette prière comme la bûche s'abandonne à la flamme et devient feu à son tour. »

Le «Père» nous donne accès généreusement à son jardin secret quand il ajoute : «Si, de jour en jour, d'année en année, tu t'efforces patiemment, fidèlement, de rejoindre, de comprendre, de libérer la prière du Christ en toi, de lui céder la place, toute la place, peu à peu elle prendra possession de tout ton être. [...] D'abord intermittente, cette expérience, plus tard sans doute, deviendra permanente : il te suffira alors de descendre en toi-même pour trouver cette prière ininterrompue qui est celle du Christ. » C'est sans doute ce qui fait dire à plusieurs des témoins consultés pour cet ouvrage que le père donnait l'impression de prier toujours.

Comme il l'avait fait pour l'esprit de pauvreté, le père Eusèbe termine par une prière son exposé sur la prière :

L'heure de la prière est l'heure
où ton regard veut rencontrer le mien ;
c'est l'heure où ton amour, Seigneur,
plein de désir, veut s'emparer du mien.
Qu'elle soit entretien ou qu'elle soit silence,
cette heure t'appartient : tu l'as rendue sacrée.
Tu te l'es réservée pour ma joie et la tienne.
Qu'elle soit remplie de distractions
ou de consolation,
cette heure est remplie d'efficacité.
Tu m'as bien appris que vouloir prier, c'est prier.
L'heure de la prière
est celle où tu m'invites à laisser tout le reste.

> *À me détacher des travaux, des soucis,*
> *pour ne penser qu'à toi.*
> *C'est l'heure où ta présence envahit doucement*
> *mon esprit et mon cœur et où le dialogue*
> *a lieu en profondeur devant ton infini.*
> *L'heure de la prière est l'heure où tout s'apaise*
> *pour te laisser parler*
> *et pour qu'en t'écoutant dans la contemplation*
> *je puisse te répondre.*
> *C'est l'heure où m'apparaît avec plus de clarté*
> *le sens de mon destin.*
> *Où tout reprend son ordre et sa place en ma vie*
> *selon ta volonté.*

Pour vivre heureux

Les témoins sont unanimes : le père Eusèbe était habité par la joie, la joie profonde des enfants de Dieu. Ils se souviennent tous avec émotion de son sourire charmeur, parfois narquois. De son humour, décapant à l'occasion. De cet optimisme déroutant qui lui faisait voir le beau côté des êtres et des événements.

Dans la soixantaine, après trois décennies de turbulences diverses, il avait accosté aux rives de la sagesse. Il était manifestement heureux. D'un bonheur serein, tout intérieur. Comme le trésor caché… Quel était le secret de son bonheur ? Il a bien voulu le confier aux bienfaiteurs de la Fondation, au souper annuel de 1982. Conférencier invité, il avait intitulé sa causerie *Pour vivre heureux*…

Premier conseil : s'accepter soi-même avec ses qualités, ses défauts et ses limites. Atteindre à la vérité de soi.

Savoir que la beauté de l'être humain est cachée : intérieure. « Chacun d'entre vous, dit-il à ses auditeurs, vous êtes beau de la beauté du Christ Jésus. Saint Augustin ne cessait de le répéter : *Nous sommes le Christ* ! Accepter ses limites, cela conduit à accepter celles des autres. Savoir qu'à l'heure du jugement nous verrons le chef-d'œuvre qu'est chacun de nous ! » Et il citait Isaïe : « Tu as du prix à mes yeux... Tu comptes pour moi et je t'aime ! » Chez le père Eusèbe, cette conviction découle de ce qu'il croyait du Corps mystique du Christ. Ce mystère était au centre de sa vie et il souhaitait aussi qu'il fût le point d'ancrage de l'Œuvre des Saints-Apôtres. Avoir la conviction qu'on est unique, aimé par Dieu d'un amour unique, cela donne un sens aux tâches plus humbles de la vie. « En faisant la soupe pour votre mari et pour vos enfants, dit-il aux mères de famille, c'est tout le monde que vous sauvez ! » Tout geste humain fait par amour a une répercussion cosmique. Le monde n'est sauvé que par l'amour.

Une autre recette de bonheur : le pardon. En abordant ce volet de sa spiritualité, le père Eusèbe cache difficilement son émotion. « Pardonner toujours : même les plus grandes injustices ! » lance-t-il, d'une voix où perce une fêlure. Dans l'auditoire, chacun pense sans doute à la tutelle et à l'exil... « Parce qu'on cultive trop souvent la rancœur, fait-il valoir, on se rend malade physiquement et psychologiquement. On se tue... » Tout au contraire, le pardon génère une paix intérieure, œuvre du Saint-Esprit qui fait des merveilles dans une vie. Il cite saint Thomas d'Aquin : « Pardonner aux hommes, leur faire miséricorde, c'est œuvre plus grande que la création... » Selon

le *père*, il ne faut jamais désespérer de la capacité de relè-
vement de l'être humain, quelle que soit sa déchéance.
Même du plus grand criminel. «Pour Dieu, mille ans
sont comme un instant, dit-il en paraphrasant le psal-
miste. Eh bien! faisons comme Lui: attendons un
instant!»

Autre secret: tirer avantage de tous les événements.
«Chaque coup qu'on reçoit dans la vie, explique-t-il, est
une poussée dont le sens dépend de soi!» C'est ainsi que
le voilier utilise même les vents contraires pour avancer.
De même les difficultés: elles sont nécessaires à notre
croissance et à celle de l'œuvre à laquelle le Seigneur nous
a appelés. Il cite encore la Bible: «Tout concourt au bien
de ceux qui aiment Dieu.» Puis il met son auditoire au
défi: «Si vous dites au Seigneur: *Merci pour la maladie
que tu m'as envoyée*, je vous garantis qu'il va vous guérir!»

Quatrième conseil de sagesse: vivre le moment présent. Chaque instant est riche d'éternité, rappelle-t-il.
C'est donc une perte de temps et d'énergie de ruminer les
fautes et les erreurs du passé. Avec une humilité désar-
mante, il confie: «J'ai pleuré, moi aussi. J'ai connu bien
des contradictions. Et je les méritais bien! Avec le tem-
pérament difficile que j'ai, il n'est pas facile pour mes
collaborateurs de vivre avec moi. Je les comprends et je
les plains!» Il ajoute avec un de ces sourires coquins dont
il a le secret: «Que voulez-vous, il faudrait me détruire
moi-même pour m'améliorer davantage!» Il fonde son
espoir sur le fait que le Seigneur nous aime gratuitement:
sans aucun mérite de notre part. Il faut donc éviter de
s'attribuer comme mérites personnels ce qui a été pur
don de la part de Dieu: charisme gratuit. «Ceux vers
lesquels le Seigneur est le plus attiré, ce sont ceux qui ont

le plus de misère morale, note-t-il. C'est l'amour qui compte. Seul l'amour dure éternellement... »

Cinquième conseil : garder ses illusions et ses rêves. « Peut-être le Seigneur m'a-t-il fait trop optimiste, confie le père Eusèbe. Devant des problèmes, je ne vois que les solutions ! Mais on aurait tort de croire que l'expérience vient des succès. Elle vient des insuccès que nous avons connus et qui nous ont corrigés... » La jeunesse, comme la vieillesse, sont avant tout une disposition du cœur. Ainsi le pape Jean a lancé le Concile à l'âge de 80 ans : il était rempli d'illusions. « Il faut savoir garder ses rêves, soutient-il. Ils se réaliseront tous devant le Seigneur. Désirer sincèrement, c'est faire ! »

Sixième et dernier conseil de bonheur : cultiver la joie. La joie, telle qu'il la comprend, ne se cultive pas dans l'*avoir*, mais dans l'*être*. Comme le Royaume, elle est au-dedans. « Cherche autour de toi un service à rendre, une misère à consoler et tu trouveras la joie ! » Cette joie sera d'autant plus parfaite que la démarche sera gratuite. Il conclut : « Ce que vous êtes l'emporte de beaucoup sur ce que vous avez. Et si ce que vous avez ne vous aide pas à *être* davantage, cela vous détruit et vous ôte la joie ! »

La dernière croix

Cet homme en pleine possession de ses moyens qui charmait son auditoire montréalais, un dimanche d'octobre 1982, avait pourtant connu de lourdes épreuves : la mise en tutelle de son œuvre et l'exil. Une autre croix était là, toute proche. Peut-être portait-il déjà les germes de la maladie qui allait le crucifier...

On se souvient à quel point le père Lussier, son successeur, avait eu du mal à «arrêter le bulldozer», à l'automne 1985, troublé de devoir imposer une autre
épreuve de rejet au «Père» qu'il aimait tant. D'une écriture déjà marquée par la maladie, le père Eusèbe écrit
dans son *testament*, le 16 novembre, une prière très
émouvante...

> Aujourd'hui, Seigneur Jésus, je veux vous rendre des
> actions de grâces bien spéciales.

> Je vous rends grâces, Seigneur, pour le nouveau conseil des
> Missionnaires des Saints-Apôtres [...]. Je vous rends
> grâces, Seigneur, [...] pour me faire goûter la joie parfaite,
> telle que décrite par François d'Assise.

> Quel privilège, Seigneur, d'avoir pu connaître toute la
> gamme des humiliations. Et cela, depuis des années.

> Seigneur, ma présence semble bien pesante pour ces frères
> que j'aime beaucoup. Vont-ils, un jour, m'exclure de la
> Société des M.Ss.A? C'est possible: ce sera la joie parfaite.
> Et pas plus ni moins.

> Merci, Seigneur, pour tout ce qui arrive et arrivera.

> Montrez-moi, Seigneur, la voie du dialogue vrai...

> Seigneur Jésus, prenez bien soin de notre petite société
> M.Ss.A: c'est votre œuvre. Et aussi, celle du Conseil
> général. Comme je les aime, ces confrères! Qu'ils soient
> des saints!

Environ un an après avoir écrit cette prière, soit à
l'automne 1986, le père Eusèbe atterrit à Montréal en
provenance de Lima, dans un état de grande faiblesse. Il
se rend à l'Hôtel-Dieu où on le soumet à une batterie de
tests sans détecter son mal sur-le-champ. Il est sous les

soins constants de sœur Colette Gareau, hospitalière. Mais à peine a-t-il repris des forces qu'il s'envole de nouveau pour le Pérou : la Ciudad de los Niños le réclame ! Grande fatigue, troubles respiratoires, il n'a pas besoin de toute la quincaillerie de l'hôpital pour pressentir que ses jours sont comptés. Le verdict tombe quelques semaines plus tard. Il est transmis au père Lussier par sœur Gareau : le « Père » est atteint par un virus mortel qui lui laisse peu de temps à vivre. Dans un premier temps, la confirmation de son pressentiment le jette dans un grand désarroi : il reste tant à faire pour évangéliser et humaniser !... Mais très tôt, cependant, il retrouve la grâce d'abandon à la volonté du Père qui lui faisait écrire dans son testament spirituel, le 23 novembre 1979 : « Seigneur, j'accepte ma mort et je veux qu'elle soit une prière. [...] Je crois, Seigneur Jésus, en la vie éternelle. Je veux que ma mort soit un acte de foi en votre puissance qui me brise pour me ressusciter, en votre miséricorde qui m'accable pour me vivifier, en votre extrême bonté qui m'enlève tout pour me combler. »

Le 6 janvier 1987, jour de son 71e anniversaire, le père Eusèbe se pose à Dorval en compagnie du père Léopold Pelletier, son fidèle secrétaire qui l'avait suivi en exil et dans toute son aventure latino-américaine. Sachant l'échéance toute proche, lui, l'homme d'action et de relation décide en toute lucidité de vivre sa montée vers le Père dans la plus stricte solitude. La montée sera pénible : de très grandes souffrances l'attendent. Sœur Gareau est affectée à ses soins. À sa demande, André Franche lui déniche une chambre chez les Clercs de Saint-Viateur, dans l'édifice adjacent à la Fondation.

Sœur Gareau en a pris soin avec le plus grand dévouement, mais après deux mois de confinement, il devient évident que l'état du père exige des soins spécialisés. Il faut à tout prix le faire transférer à l'infirmerie des franciscains, à Rosemont. Le malade, lui, s'entête à rester dans sa solitude pour vivre le mystère de la mort et de la résurrection... En somme, il veut rester au désert jusqu'au face à face... Devant sa détermination, sœur Gareau et André Franche ont mis au point un scénario astucieux : ils le transporteraient à l'hôpital pour de prétendus examens, puis de là, le feraient porter à l'infirmerie en ambulance.

Cela n'a pas été nécessaire. Un dimanche soir, le « Père » s'est senti très mal. Le père Pelletier l'a installé difficilement dans un taxi qui l'a conduit chez ses frères franciscains. Il était tellement faible qu'il n'a pas pu s'y opposer... Le mardi suivant il a dit à André Franche : « T'as bien fait... » Il ne voulait toujours pas de visite. « Le 9 mars, son état s'est aggravé, mais il espérait toujours une guérison, confie André Franche. Il faisait des projets de retour au Pérou. Il a fini par lâcher prise à la suite d'une prière : *Seigneur, j'accepte ma maladie. J'accepte de souffrir autant que vous le voudrez !...* Deux fois, en présence du père Léopold Pelletier, il m'a demandé pardon pour les blessures qu'il aurait pu me causer ! » Ayant travaillé en étroite collaboration pendant plus de 30 ans, ils ont toujours été d'accord sur les fins, sur la mission, mais ils se sont souvent opposés sur les moyens, l'organisation, les stratégies et les projets. Le directeur général de la Fondation se remémore ces faits avec une tendre tristesse : « Des blessures ? Bien sûr que non : seulement des élans d'action de grâce... »

Les derniers jours se passent dans des souffrances atroces. À son infirmière, sœur Thérèse Viel, religieuse des Petites franciscaines de Marie, le «Père» dit péniblement: «Oui, je souffre beaucoup!... mais comme le veut le Seigneur... et pour le temps qu'il voudra!...» Ce lâcher prise dans les mains du Seigneur de tendresse sont ses dernières paroles. Le jeudi 26 mars, peu après midi, il s'éteint tout doucement. Sans angoisse. Comme un petit enfant qui s'endort sur le sein de sa mère. À son chevet, outre sœur Viel, il y a le père Pelletier, le père Henri Éthier, ministre provincial des franciscains et le père Clarence Laplante, responsable de l'infirmerie.

Les funérailles du père Eusèbe ont pris les proportions d'une grandiose célébration d'action de grâce, au sanctuaire Marie-Reine-des-Cœurs, rue Sherbrooke, dans l'est de Montréal. Elles ont été présidées par le père Henri Éthier, assisté par le père Yvon Archambault, animateur général de la Société des Saints-Apôtres et par le père Marc Lussier, successeur du père Eusèbe à la tête des Missionnaires des Saints-Apôtres. Deux évêques et une centaine de prêtres ont concélébré la cérémonie empreinte de sérénité. Quelque 800 parents et amis sont venus rendre un dernier témoignage d'affection à celui qui, plus que jamais et pour toujours, était le «Père»...

Esquissant à larges traits son profil spirituel, le père Éthier en a fait ressortir le caractère franciscain: fascination par le mystère de Dieu, passion pour le Royaume à accueillir et à bâtir, amour des petits, des exclus et des pauvres, désir de communion totale au Christ jusque dans sa mort et sa résurrection. Le père Éthier terminait ainsi son témoignage: «Frère Eusèbe, tu as été un vrai fils de François. Pour le témoignage de ta vie, merci!»

Épilogue

PLUSIEURS TÉMOINS affirment que le père Eusèbe souhaitait vivement voir de son vivant l'unification des deux familles missionnaires qu'il avait fondées. Le père Paquette témoigne du fait que le Père a offert sa vie pour l'unification. De fait, peu après sa mort, les responsables des deux communautés, les pères Archambault et Lussier, amorcent ce rapprochement. L'unification se réalisera huit ans plus tard, soit le 15 août 1995.

La nouvelle famille unifiée se nomme Société des Missionnaires des Saints-Apôtres. Sa maison générale est à Montréal. Sous le titre austère de *Constitutions et normes, 1996*, sa règle de vie reflète admirablement la spiritualité du père Eusèbe. Les M.Ss.A. s'engagent par une promesse de fidélité à vivre selon leur charisme. Ils se vouent à la promotion et à l'accompagnement de vocations sacerdotales et aux missions. Dans le champ pastoral, ils se consacrent de préférence aux paroisses pauvres. Ils définissent ainsi leur mode de vie :

> Le style de vie et les attitudes fondamentales de notre Société s'inspirent de la vie de Jésus, de la Vierge Marie et

des Apôtres, à l'image des premières communautés chrétiennes. Guidés par l'esprit et les écrits de notre Fondateur, nous nous efforçons de faire nôtre la spiritualité du Corps Mystique du Christ qui dynamise et unifie notre style de vie.

Dans l'esprit de leur fondateur, la règle de vie de sa nouvelle famille spirituelle fait une place centrale à la prière et à la prédication. Les rédacteurs de ce document se sont sans doute remémoré la voix fascinante de leur père bien-aimé: «La prière: la forme d'énergie la plus puissante que l'on puisse susciter… La prédication: le moyen choisi par Dieu pour éclairer et sauver le monde. En effet, le monde a besoin d'apôtres capables de porter à leurs frères, les hommes, la force explosive de l'Évangile.»

Non seulement l'œuvre du père Eusèbe lui survit-elle, mais elle connaît un souffle nouveau: une renaissance. À ce jour, l'Œuvre des Saints-Apôtres a donné plus d'un millier de prêtres à l'Église et au monde, dans une trentaine de communautés religieuses et dans sept pays…

Table des matières

AGMV Marquis

MEMBRE DU GROUPE SCABRINI

Québec, Canada
2000